Sternberg, Alexander, Freihe

Lessing Eine Novelle

Sternberg, Alexander, Freiherr von

Lessing Eine Novelle

Inktank publishing, 2018

www.inktank-publishing.com

ISBN/EAN: 9783750108707

Lessing.

***

Eine Novelle

von

A. Freiherrn von Sternberg.

***

Stuttgart und Tübingen.

Verlag der J. G. Cotta'schen Buchhandlung,

1834.

Es war spät am Abend, ein heftiger Sturm schüttelte an den Fenstern und Thüren des alten herrschaftlichen Schlosses; die Dienerschaft hatte sich, da ihr Tagesgeschäft fast vollendet war, in einen entfernten Theil des weitläufigen Baues zurückgezogen, und saß hier um die Flamme des Ofens in behagliche Gruppen vertheilt. Nur einer fehlte in diesem Kreise, und zwar die Hauptperson; Dieses war der alte Kammerdiener Christian, ein treuer Anhänger des Hauses, der vor wenigen Tagen seinen sechzigsten Geburtstag gefeiert hatte. Er war, da der Postbote, welcher zweimal wöchentlich in's nahegelegene Dörfchen hinab mußte, krank geworden, selbst hingeritten, um seiner jungen Herrschaft, den beiden Comtessen, sich auf's angelegentlichste dienstbar zu bezeigen. Nun konnte es seyn, da er schon frühe ausgeritten und noch nicht heimgekehrt war, daß dem alten Mann in

1

der Finsterniß ein Fährniß zugestoßen, oder daß
das ungewöhnlich starke Wetter, welches seit
zwei Stunden ununterbrochen wüthete, ihn im
Dorfe zurückgehalten habe. Die alte Gertrud,
die frühere Wärterin des jüngsten Fräulein,
meinte jedoch kopfschüttelnd, daß den Christian
der Tod selbst nicht abhalten könne, zur bestimm=
ten Zeit einzutreffen, wenn er im Dienst sei=
ner Herrschaft einen Gang angetreten, denn
so etwas Genaues und Eifriges im Geschäfte
gäbe es durchaus nicht mehr, und der Christian
sey eben auch noch ein Stück aus der alten
guten Zeit, wo Alles frömmer und besser
gewesen. Sie seufzte bei diesen Worten tief
und richtete ihre Augen gen Himmel.

Ein junger Bursche im Kreise, der die sei=
nigen auf das hübsche Kammermädchen, die
kleine Babet, heftete, sagte: „Ich danke dem
Himmel wirklich recht herzlich, daß wir nun
endlich aus diesem alten Schlosse erlöst werden;
morgen geht's nach Berlin, und das ist doch
eine Stadt, wo ein Christenmensch sich anstän=
dig amüsiren kann.“

„Sprich: wo ein Christenmensch mit Leib
und Seel' zu Grunde gehen kann, mein Sohn!“
setzte Gertrud hinzu. „Ihr habt recht, Muhme,“
nahm jetzt der dicke Stallaufseher Andres das
Wort, indem er das rothe freundliche Gesicht

mit dem braunen schlicht gekämmten Haar näher zum Feuer rückte; „mir ist auch bei der bevor= stehenden Rückkehr in die Stadt bang zu Sinn. Die guten Früchte, die hier die Einsamkeit, Lehre, Ermahnung und Predigt getragen, kön= nen in der Babelsverwirrung wohl wieder ver= loren gehen. Mir ist es hier auf dem Lande recht wohl geworden; die Woche über gab es das regelmäßige Geschäft, nicht zu viel und nicht zu wenig, gerade wie es ein Christenmensch braucht, und war das Werk vollbracht, so kam der schöne Sonntag, die herzerhebende, liebe, feiertägliche Stille; früh Morgens machte man sich auf den Weg in's Dorf zur Kirche, Bursche und Mädchen geputzt und in ihrem Gott ver= gnügt. Der Steg den Hügel hinab, zwischen den Kornfeldern, später im Schatten der alten Kirch= hoflinden, wimmelte von bunten Schaaren, die alle das Heil suchten, und von denen keiner ungetröstet wieder heimgieng. Besonders wurde es mir so gut in Eurer Gesellschaft, Gertrud, jene fromme Versammlungen zu besuchen, wo mich denn immer Predigt und Ermahnung auf das Herzlichste erquickten.“

„Lieber Andres,“ nahm Gertrud das Wort, „Du hast in Deinem rohen Geschäfte ein sanf= tes, friedfertiges Herz bewahrt, Gott erhalte Dir dieses in der bösen, bösen Zeit.“

„Was war ich," fuhr Andres fort, „ehe ich Euch und jene frommen Leute, die die gottlose Menge verspottet, kennen lernte. Mein Vater war Schulmeister-Gehülfe, und hätte mich gerne in gleichem Amte gesehen; allein es gab keinen thörichtern, ausgelassenern Burschen als mich im Dorfe; zu keinem Geschäfte wollt' ich mich brauchen lassen, und etwas Gutes zu lernen, hatte ich durchaus nicht die Absicht; nur wo es bösartige Streiche galt, war ich mit Leib und Seele dabei. Auf diesem Wege wäre ich nun gewiß verloren gewesen, wenn nicht damals, wie Ihr wißt, die langwierige und schwere Krankheit mich befallen hätte, in Folge des bösen Falles, den ich that. Da gab es denn einsame Stunden in Menge, in denen sich mir mein Gott und mein Heiland näherten, mich zur Buße und zur Bekenntniß erweckend. Dieser heilsamen Zeit habe ich's zu danken, daß ich ein ordentlicher, arbeitsliebender Mensch geworden bin." — „Ja!" rief der junge Bursche, „ich besinne mich, daß damals die Leute sagten, als es ruchbar wurde, Du seyest auch in die Gesellschaft der frommen Zopfträger des Herrn gegangen: Du wärest fromm geworden, seitdem Du auf den Kopf gefallen."

Andres antwortete hierauf nicht, doch Babet, das Kammermädchen, lachte schnippisch und ausgelaffen. Ihr war der fromme Discurs, der anzurücken drohte, äußerst zuwider, und sie nahm schnell die eintretende Pause wahr und rief: „Ich, für meene Person, thu jar su jerne nach Berlin surückgehn; man thut so hier alles verlernen, selbst meene reene jute Aussprache, weil man keenen ehnzigen Menschen von Reputation sieht, aber in Berlin unter den schänen grinen Beemen, wo die Trommel gerehrt wird, und die velen Soldaten und Offizöhre gehn, da ist meen Leben.“ Andres erwiderte: „Ja, Jungfer Babet, da wird es wieder Briefchen zu bestellen geben, und Sie kann nach den Grenadieren schielen, die Sie so sehr liebt.“

„Er apparter Mensch!“ rief das hübsche Mädchen; „was die Breefe betreffen thut, so wees ich jar nicht, was er meenen kann, aber die Grenaddire, ja da hat er recht. Es giebt doch auf der Jotteswelt nichts pläsanteres, als so een Grenaddir mit einem recht langen Zopf. O Jott, Jott, was thut nun meen geliebter Grenaddir machen! ah mon ami, wann werden wir uns wiedersehn? Der jarstige Krieg!“

„Ja,“ nahm Andres das Wort, „der Krieg macht die Männer rar; beißt Ihr Grenadier in's Gras, Jungfer, so muß Sie einen von uns wählen.“

„Jefes!" rief Babet, „wie Er mir er=
schreckt." — „Es ist nicht anders," fuhr der
phlegmatische Sprecher fort, „ich weiß eine ent=
setzliche Geschichte von einem todten Grenadier,
die sich die Jungfer wohl zu Herzen nehmen
könnte."— „Erzähle sie," rief Gertrud; „ist sie
fromm und gottselig, so höre auch ich derglei=
chen an, wenn es draußen stürmt und man ver=
traulich am Feuer beisammen sitzt."

„Als mein Großvater noch auf dem Dorf
lebte," hub Andres an, „so trug sich folgende
Begebenheit daselbst zu, die unter dem gemei=
nen Volk jetzt noch wohl bekannt ist, und die
man die

Geschichte vom todten Grenadier

zu nennen pflegt. Es war zu der Zeit der gott=
seligen Regierung des Vaters unsres gnädigen
Herrn, als, ich weiß nicht welcher große Krieg
ausgebrochen war, der viele junge Mannschaft
außer Landes brachte. Unter diesen befand sich
auch ein junger Grenadier, der sein Mädchen,
das er herzlich liebte, daheim zurücklassen mußte.
Es geschah, daß bei Gelegenheit einer großen
Schlacht der junge Soldat mit vielen andern
getödtet und im fernen Ungarlande beerdigt
wurde. Das Mädchen, das sich sein Ausbleiben

nicht deuten konnte, brach in Thränen und
bittere Klagen aus, wollte sich auf keine Weise
zufrieden geben, und rief unaufhörlich ihren
Liebsten bei Namen. Nun wißt ihr aber, daß
ein Todter in seinem Grabe nicht schlafen kann,
wenn ein Lebender ihn immerfort und mit
Thränen anruft; die Thränen durchnässen ihm
das Leichenhemd, und er muß heraus, er mag
wollen oder nicht. So war es auch hier; der
kalte Mann, der keine Begier mehr nach Kuß
und Umarmung hatte, muß fort und zu dem
Mädchen, das ihn ruft. Er schwingt sich auf
ein wunderbares Pferd, das ihn aus dem fer=
nen Ungarlande im Nu vor die Hausthüre sei=
nes Liebchens bringt. Da ist es Mitternacht,
und er muß lange warten, dabei ist's kalt, und
der arme todte Mann hat keinen Hauch in der
Brust, um in die Hände zu hauchen und sich
zu erwärmen. Im Kämmerlein wacht das Lieb=
chen, und schnürt eben liebekrank und seufzend
ihr Mieder los; da hört sie's so leise hantiren:
mit einem halben Blick durch die schwarzen
Scheiben lugt sie hinaus, da sieht ganz nahe
ein dunkles Auge sie an, und ein weißer Man=
tel flattert hoch auf. In ihrem Gottes frohen
Schreck macht sie schnell auf, und bedenkt nicht,
daß ihr loses Mieder die schönen weißen Brüste
frei zur Schau läßt; aber der da draußen schielt

nicht mehr nach eines Mädchens Busen, ihm
ist nur darum zu thun, daß er bald wieder in
Ungarn in seinem Grabe liege. Er muß ihr
jetzt von Liebe sprechen und von Hochzeit, und
möchte ihr so gerne gestehen, daß er längst schon
todt und begraben sey. Endlich schwingt er sich
mit ihr auf's Pferd, und wie sie so reiten, tritt
am Himmel der Mond hervor, und leuchtet ih=
nen. Es mag ein schauerlicher Ritt gewesen
seyn, der Großvater hat sie so durch's Dorf
kommen sehen; vor keiner Schenke hielt er an,
denn weder ihm noch seinem Thier gelüstete nach
irgend einer Erquickung; auch wurde die Reise
immer wilder, je tiefer es in die Nacht ging.
Es störte das Rößlein in seinem Lauf nicht Hecken=
zaun noch Fluß, ja zuletzt setzte es keinen Huf
mehr auf und zog schaurig durch die Luft hin,
dem blassen Monde nach, der sich vor den grauen
flatternden Morgenscheinen zu retten suchte. In
der Frühe geht alles zur Ruhe, was in der Nacht
geschwärmt hat: Kobold, Elf, Gespenst und Nix,
denn die schönen Christengebete, die dann aus
so vielen tausend dankbaren Herzen frisch mit
dem Dufte der Blumen zusammen gen Himmel
steigen, säubern die Erde, wie die Hand des
Meßners den heiligen Altar von Spinnweb und
Staub. So wußte auch der nächtliche Ritter,
daß er nicht lange mehr Bestand haben würde,

und spornte sein Thierlein, daß es entsetzliche
Sprünge machte hoch in den dämmernden Him=
mel hinein, daß die Morgenwolken erschracken
und furchtsam zurückflatterten. Das arme Mäd=
chen hing an ihm, die Arme um seinen Leib
geschlagen, und obgleich ihr ahnete, wohin es
ginge, so hätte sie doch nicht mögen von ihm
lassen, so heftig sind die Wünsche einer Braut.
Am Ende hat's nun eine gräßliche Erscheinung
gegeben; er hat sich ihr gezeigt wie er war,
nämlich nichts als Bein, dürres Todtenbein, und
als die Arme vor Schrecken hat sterben wollen,
hat er ihr zugerufen: dieses sey die Strafe für
ihr Rufen und Schreien; es solle kein Mädchen
ihren todten Liebhaber herbeiwünschen, sondern
soll ihn im Grabe, worin er liegt, ruhig schla=
fen lassen. Dieß ist nun aber die Geschichte
vom todten Grenadier.“

Der Kreis der Zuhörer, der während der
Erzählung immer näher zusammen gerückt war,
saß jetzt in stummem Schreck da, keiner wagte
eine Bemerkung, und alle fuhren entsetzt und
schreiend in die Höhe, als Schläge mit der Faust
an's Fenster geschahen, und Christians Stimme
rief: „Die Stallthür aufgemacht, Andres! es ist
ein Hundswetter!“ — Der Gerufene ging hin=
aus, und Babet, die sich am meisten entsetzt

hatte, ſtarrte athemlos auf die Thüre, die jetzt
der eintretende Kammerdiener mit großem Ge=
räuſch aufriß, und noch in ſeinen ſchweren,
vom Regen durchnäßten Mantel gehüllt in den
Kreis und an's Feuer trat. Er bemerkte nichts
von dem unglücklichen Eindruck, der ſein Er=
ſcheinen begleitete, ſondern fing auf ſeine Weiſe
ſogleich zu poltern und zu ſchelten an. — Es
waren die vom Poſtboten gewöhnlich aus der
Reſidenz mitgebrachten Bücher dießmal vergeſ=
ſen worden, und der Ritt in das ziemlich ent=
fernte Dorf daher völlig fruchtlos geweſen.

„Der doppelte Satan hole den alten Jobs!“
ſchrie Chriſtian, ſich immer noch im Mantel im
Kreiſe herumdrehend, „und mit ihm den Herrn
Secretarius, der die Lieferung zu beſorgen hat;
jetzt ſoll ich hinaufgehen mit leeren Händen,
und oben ſitzt die Bonne und die beiden lieben
Fräulein, ſo begierig nach plaiſanter Unterhal=
tung, als ich nach einer fetten Kalbskeule und
einem Kruge Potsdamer. Ich ſehe ſchon, wie
die Alte ihre Naſe um ein Drittel verlängert,
da heißt es denn gleich: das Thier wird alt,
beſorgt nichts mehr recht, iſt nicht mehr zu
brauchen, muß es todtſchießen laſſen wie'n Hund,
und was der vornehmen Begrüßungen ſonſt
ſind.“

Gertrud erhob sich, und schalt ihren alten Collegen wegen der harten Flüche und grausamen Redensarten; zugleich nahm sie ihm den Mantel ab, und trocknete ihm, so gut es gehen wollte, mit ihrem Busentuch die gepuderten und geleimten Seitenlocken wieder zurecht.

„Hört Kerle!" rief der Zürnende, „hat denn keiner von Euch so etwas, was wie'n Buch aussieht, was man den gnädigsten Comtessen für heute vorwerfen könnte: wenn der Hund hungrig ist, packt er am dürresten Knochen an. Ihr, Andres, seyd ja ein Stück von einem Gelehrten, schafft Ihr was herbei."

Andres rieb sich hinter's Ohr: „Ich wüßte nicht Gevatter," entgegnete er, „es müßte denn die königlich preußische Pferde-Ordnung seyn, die uns allen auf Befehl der Regierung neuerdings mitgetheilt worden." — Christian lachte aus vollem Halse: „Die Pferde-Ordnung! ein gescheuter Einfall! ja die Pferde-Ordnung, guter Junge, die wollen wir den Fräulein geben. Pack' Dich Bursche mit Deinem Witze, er ist wahrlich gröber noch als der meinige." Gertrud bemerkte, daß man „das stolze, triumphirende, gedemüthigte, zerschlagene und endlich mit seinem Gott wieder versöhnte Christenherz" *) hinauf senden

---

*) Ein damals beliebtes Andachtsbuch.

könne. „Auch nicht, Alte," entgegnete Christian, „Du hast nun wieder diese Schwachheit am Leibe, bedenke, daß es junge Mädchen sind, daß die am liebsten für ihren Schnabel was haben wollen, d. h. amuröse Historien. Halt! was fällt mir da ein. Geht 'mal, Vetter Andres, in der Kücheneche, rechts, wo das alte Wasserfaß steht, befindet sich in dem verwitterten Schränk=chen so 'ne Art von Bibliotheke; es sind zum Theil alte Tröster, die der Graf seliger weg=warf, als die große Sammlung in den obern Sälen eingerichtet werden sollte; gelt, da kann sich am Ende wohl noch was finden." Andres machte sich kopfschüttelnd auf den Weg, und Christian setzte sich seufzend zu einem kleinen Imbiß, den Gertrud in der Eile zusammenge=bracht hatte. Mitten im Essen hielt er inne, und gab Babet einen Wink, indem er aus einer seiner vielen Taschen einen Brief hervorzog. „Bei den amurösen Historien," sagte er, „fällt mir ein, daß ich auch für Sie, Jungfer, was mitgebracht; der Wisch kommt sicherlich von Ih=rem Grenadier und kostet mich sechs jute Gro=schen." Das erschreckte und erfreute Mädchen warf ihre Arbeit fort, sprang auf und haschte nach dem Brief. „Halt!" rief der Alte, „soll ich Ihr noch Conduite lehren. Die sechs Groschen her, die sechs jute Groschen!" Babet suchte eifrig

in ihrer Tasche, bis sie das verlangte Geld
beisammen hatte, dann drückte sie den Brief
verstohlen an ihre Lippen und rief: „J, Jees,
so ist mein Jean nicht todt, so bin ich doch ohne
Ursach so kanibalisch wehmüthig geworden über
des Andres dumme Geschichte." Sie öffnete
das Siegel, und rückte näher an das Feuer;
allein es fand sich, daß die Krähenfüße des Ge=
liebten von so tückischer Natur waren, daß sie
sich durchaus nicht sogleich enträthseln ließen;
das arme Mädchen stotterte und wurde vor
Ungeduld roth. „Na, was schreibt der jute
Junge?" fragte Christian, indem er sich bei der
Frau Gertrud niedergelassen; „laß 'mal hören."

Babet las: „Liebes Lengen! ich nenne Dir
nicht Babet, weil das so französisch klingen thut,
und ich wie alle ehrlichen Preußen die Franzosen
janz mörderlich hasse. Wir haben vor einigen
Tagen wieder ein recht blutiges Massaker gehabt,
wo eben wie immer unsre Fahne gesiegt hat;
beinahe wäre ich, wie vor einem Jahr, in die
Hände eines Krabaten gefallen, doch gelang es
mir noch, mich just durchzufuchteln. Was machst
Du, Lene, und was der lange Vetter Christian,
ist er noch immer Kammerkätzchen bei den gnä=
digen Comtessen?"

„Oho," rief Christian, „was ist das für
Tollheit!"

„Ich habe mich verlesen," stotterte Babet,
„es soll heißen: bist Du noch immer Kammerkätzchen bei den gnädigen Comteſſen? Bleib
mir nur treu, Mädel, und laß Dir nichts
aufbinden vom frommen Pack; ich hab' gehört,
in Berlin soll man jetzt janz teufelsmäßig
fromm ſeyn. Hol's der Henker, ein junges
hübſches Mädel, wie Du, hat noch kein Himmelreich nicht nöthig, der Kuß ihres Lieb-
ſten iſt ihr Himmelreich!" — Babet wurde
roth, und Frau Gertrud schüttelte das Haupt.
„Wir Soldaten," lautete der Brief weiter,
„halten es mit dem König und sind alle Phi-
loſophen, das ist die beste Manier, sich durch
die Welt, die eigentlich, unter uns gesagt,
miserabel iſt, durchzubeißen. Wie geht's den
hübschen Comteſſen, sind ſie noch immer nicht
an den Mann gekommen? aber so etwas will
hoch hinaus." —„Halt," rief Chriſtian, „über
die Herrſchaft kein Wort, und übrigens laßt die
Epiſtel jetzt zu Ende ſeyn; da flucht und pol-
tert Jemand die Stiege hinan; wer mag's ſeyn?"
Das gerührte Kammerzöfchen faltete den Brief
zuſammen, und ihn in den Buſen ſchiebend,
ſeufzte ſie, indem ſie ſich die Thränen abtrock-
nete: „Du juter Jott, wie hat nur eine dienſt-
bare Perſon, wie ich, einen ſo treuen Amanten
verdient!"

Man hörte jetzt eilige Tritte; die Thüre
wurde aufgerissen, und ein junger Mensch von
blühendem Aussehen, dessen Kleidung aber arg
von Wind und Wetter zugerichtet war, stand
vor der ehrenwerthen Versammlung. „Das
fehlte noch!“ brummte Christian, „da kommt
nun noch der, und will wie gewöhnlich vorlesen,
und es ist eben nichts da.“ Er wandte sich hier=
auf zum Ankömmling und rief: „Ey, ey, Herr
Ephraim, was kommt Euch an, wie der Leib=
haftige in Sturm und Nacht herumzutosen? Ihr
kommt doch nicht, um vorzulesen?“ Der Jüng=
ling sah dem erschreckten Alten lachend in's Ge=
sicht; er war dem Feuer nahgetreten und seine
Gestalt hob sich vortheilhaft hervor aus der
Gruppe, die ihn umgab. Ein kurzer grüner
Rock mit blitzenden Metallknöpfen umspannte
seine schlanke Taille; im Gürtel, den er über
eine weiße gestickte seidene Weste ziemlich sorg=
los geschnallt, steckte eine alte Waffe, halb ei=
nem Dolch, halb einem Hirschfänger ähnlich;
Strümpfe und Beinkleid waren bis oben zu
durchnäßt und mit Erde befleckt, das Haar,
vom Puder entblöst, hing frei an den vom
Wetter gerötheten Wangen herab.

„Freilich komme ich, um vorzulesen,“ rief
er Christian auf dessen Frage zu — „geschwind,
Alter, wo hast Du die Bücher?“ Diese Frage

stürzte den Sorgenvollen wiederum in die Nacht
der Verzweiflung. „Bücher?" schrie er, und
stampfte auf den Boden, „das ist ja grade das
Kreuzdonnerwetter, daß keine da sind! Sieh'
da, Andres, goldner Junge, was hast Du denn
da? Laß seh'n, das ist ja ein Buch wie'n Kirch=
thurm!" Er nahm dem Stallaufseher einen
dicken bestäubten Lederband ab, und öffnete
kopfschüttelnd die Klammern des Deckels.
„Schöne Bilder!" rief er, auf die Holzschnitte
zeigend, die die vergelbten Blätter zierten, „aber
der Teufel lese, was da drinn steht." Der
Jüngling bog sich über die Schulter des Alten,
und kaum hatte er einen Blick in's Buch ge=
than, als er ausrief: „Trefflich! ganz wie be=
stellt! dieß Buch will ich vorlesen." Christian
lachte; „wenn der alte Tröster," rief er, „nur
nicht so nach dem Küchenschrank röche, so merkt
man's ihm aber an der Nase an, daß er nur
mit Salz, Butter und Häring umgegangen und
in schlechter Gesellschaft alt und grau geworden.
Ein Theil seiner ehrwürdigen Person ist ihm
schon abhanden gekommen, denn der Koch hat
die Blätter zu der Unterlage der Morgenpastet=
chen für die Bonne gebraucht." — „Schadet al=
les nichts," rief der Jüngling, „nur rasch hin=
auf damit zu den Damen!" Er wollte fort,
doch Christian vertrat ihm den Weg. „Hol der

Henker die Schule, wo Er Conduite gelernt hat, Monsieur Ephraim! Platzt man so zu einer durchlauchtigen Herrschaft hinein? Da kommt Er mir in's Amt! Ich, Christian, erster Kammer= diener hier im hochgräflichen Hause, sage: kei= nen Fußbreit weiter, oder sans permission die Thüre gewiesen, und wäret Ihr zehnmal der Sohn unsers Herrn Pastors! Conduite sag' ich, — erst angemeldet."

„Aber in diesen Kleidern?" murrte Ger= trud, „der Junker zittert ja noch vor Kälte! Ehe Du so zanktest, Christian, hättest Du wohl daran denken sollen, dem lieben Herrn Ephraim Einiges von Deinem Sonntags = Staate anzu= bieten."

„Die Narren werden mich toll ma= chen!" rief der Jüngling, heftig mit dem Fuße stampfend.

Christian führte ihn, fast wider Wil= len, bei Seite. Ein Paar hochrothe Strümpfe und ein Festbeinkleid waren bald angelegt. Babet übernahm es, das verwirrte Haar zu ordnen, und bald stand er wunderlich geputzt da, mit dem mächtigen Folianten unterm Arm. Christian, ohne auf die Ungeduld seines jungen Gefährten im mindesten zu achten, ergriff den silbernen Doppelleuchter aus dem Vorgemach, und, leise die Treppe hinaufsteigend, zog er an

2

der Klingelschnur. Es öffneten sich die hohen al=
terthümliche Säle, und sie schritten durch eine
Reihe unbewohnter Gemächer, bis sie an die
Thüre des Cabinets kamen, wohin sich die ein=
samen Frauen zurückgezogen hatten, und aus
dem man Töne einer Harfe vernahm. Der
Kammerdiener ging hinein, und trat sogleich
wieder hervor, indem er mit strenger Haltung
und ernster Stimme rief: „Ihro gräfliche Gna=
den sind zu Hause!" —

Als des Eintretenden Fuß den feinen Tep=
pich berührte, wandten sich die drei Bewoh=
nerinnen des alterthümlichen Gemaches zugleich
nach ihm um. Ein junges Mädchen, blühend
wie der lächelnde Frühling, ruhte, auf ein Paar
Polster gelehnt, auf dem Boden vor dem Ka=
mine; die Flammen spiegelten sich im Atlas ih=
res Kleides, und färbten die schweren weißen
Falten mit durchsichtigem Purpur. Seitwärts,
mehr im Schatten, saß die zweite junge Dame,
an einer damals üblichen liegenden Harfe, über
deren Seite sich schwermüthig langsam die wei=
ßen Arme der Spielerin bewegten. Den laut
bellenden Mops im Arm, in der Fensternische
halb schlafend, die breite Blondenhaube mit den
kolossalen Bandschleifen verziert, tief auf die
Brust gesenkt, saß die gelehrte Madame Mal=
bouquet, die Bonne und Gesellschafterin der

jungen Comtessen. Sie fuhr beim Kläffen ih= res Lieblings auf, und starrte den Eintretenden an, ohne ihn zu erkennen; auch die beiden Mäd= chen schienen erschreckt und befangen, bis Polly, die jüngere, ausrief: „Herr Lessing spielt Re= doute! Köstlich, ma bonne, der Spaß ist nicht übel! Da giebt's doch etwas zu lachen; ach wir sterben hier aus Langerweile! Denken Sie sich, Herr Lessing, Clarissa ist krank, die Bonne hat Migraine und die arme Polly will verzweifeln."

Der Jüngling brachte jetzt seine Entschul= digungen vor. Er beschrieb die Gefahren seines kleinen Jagdunternehmens, das Irregehen und die unbedeutenden Abenteuer, die ihm aufge= stoßen, endlich seinen Eintritt in die untere Halle und den Schreck des alten Christian so lebhaft, mit so drolliger Uebertreibung, daß seine drei Zuhörerinnen lachten, und sich die düstre langweilige Stimmung alsbald verlor. Die Bonne ließ ihren Polsterstuhl näher zum Feuer rücken, Leopoldine behauptete ihre anmuthige Lage auf dem Boden, und die ältere Gräfin fragte neugierig nach den mitgebrachten Büchern.

„Ach, mein allergnädigstes Fräulein!" rief der befangene Jüngling, und seine Wangen glühten, „jetzt komme ich erst an die wahrhaft tragische Begebenheit des heutigen Abends; ach, ich wünschte, mir stände die Zauberkraft

Merlins zu Gebote, der einen dürren Stamm
in einen blühenden Baum verwandelte, schnell
würde ich diesen schwerfälligen Freund hier in
die zierlichste Ausgabe unseres göttlichen Poeten
umschaffen. Ach, schönste Gräfin, holdseligste
Beschützerin der Musen! wir werden heute
keine Zaire, keine Merope, keinen Mahomet be=
wundern."

„Sie scherzen," rief Clarissa, „wir sollten
ja heute den Tancred beginnen, ich habe mich
den ganzen Tag über auf diese Stunde gefreut."

„Was wollen Sie mit dem schwarzen Un=
geheuer dort?" fragte Leopoldine. Die Bonne
nahm eine Prise nach der andern, unruhig und
mißtrauisch umherblickend; jetzt, da das Buch
geöffnet wurde, rief sie laut: „Ah ciel! der
verdammt odeur kommt her vom Dings da,
fi donc, fort, nicht das!"

„Fort, fort," rief Polly, und rümpfte das
Näschen. Clarissa wandte sich verstimmt weg.
Lessing mußte sich in einen entfernten Winkel
flüchten; von hier aus verkündete er nun mit
blitzenden Augen die Vorzüge seines köstlichen
Fundes. „Es ist der Theuerdank," rief er,
„das trefflichste alte Gedicht, das wir haben,
eine herrliche romantische Sage, in der die zau=
berischen Farben ächter Poesie auf das leben=
digste durcheinander spielen. Ich nenne es

Sage, es ist wohl mehr — Geschichte ist es, ein klarer Spiegel des Lebens."

„Also ein deutscher Autor?" fragte Leopoldine gedehnt.

„Freilich," entgegnete Lessing mit Stolz, „ein deutscher Autor."

„So darf er nicht gelesen werden!" rief die Schöne, bestimmt und wichtig; „es wäre gegen allen guten Geschmack, ein deutsches Buch zu lesen."

„Aber wir haben nichts Anderes," bemerkte der Jüngling mit einiger Empfindlichkeit. „Durch die Krankheit des Postboten ist dießmal die Büchersendung versäumt worden." — „Gut, so lesen wir die kleinen chansons aus dem diesjährigen miroir des dames."—„Diese Albernheiten!" rief Lessing, „dieser süßliche Unsinn, diese pretenziösen Fadaisen! ich bringe sie nicht über die Lippen!"

„Eine französische Albernheit," entgegnete Polly gereizt, „ist immer geistreicher, als eine ganze deutsche Bibliothek von Poeten und Philosophen zusammen genommen." Der Jüngling schlug die Hände zusammen: „Alle Götter!" rief er, „welch' ein Urtheil, und das spricht ein deutsches Mädchen aus!" Clarissa mischte sich in den Streit, und sagte lächelnd: „Fangen wir nun nicht wieder den alten wohlbekannten

Kampf an. Erklären Sie uns, Herr Ephraim, was es mit Ihrem deutschen Buche für eine Bewandtniß hat. Also eine Art von Ritter= roman?"

Der junge Dichter schüttelte das Haupt; er hatte sein Buch zugeschlagen, und sah mit ei= nem halb mißmuthigen, halb befangenen Blicke vor sich hin. „So geben Sie mir denn den miroir," rief er nach einer Pause mit dumpfer Stimme. Polly lachte, sie sprang zu einem na= hen Tischchen, und einen kleinen Handspiegel ergreifend, ihn dicht dem Jüngling vorhaltend, rief sie: „Hier ist er, nicht wahr, das Titelkupfer ist ein hübsches Bildchen?" Sie machte eine komische Verbeugung, klatschte lachend in die Hände, und ließ sich dann wieder auf den Tep= pich niederfallen. Clarissa wiederholte ihre vorige Frage.

„Wie soll ich's erklären?" entgegnete Les= sing, „das Gedicht enthält keinen neuen Gegen= stand. Welches Volk hätte nicht von den Tha= ten seiner großen Helden ähnliche Gesänge, und dennoch möchte ich dieses deutsche Epos mit kei= nem andern auch nur von ferne vergleichen. Es ist darin der Brautzug Maximilians besun= gen, wie er, der schöne, kühne ritterliche Held, um die burgundische Fürstentochter wirbt."

„Ciel!" rief Polly, „wie mag sich nur so
ein alter Deutscher anstellen, wenn er ver=
liebt ist."

„Ist Corneille," fuhr der Jüngling fort,
„eine stolze Zeder, Racine eine schlanke glatte
Palme, Voltaire ein üppiger Blüthenbaum, so
ist dieser deutsche Poet ein kräftiges Gewächs
des Waldes, hineinragend in den Frühlings=
himmel mit seiner Blätter melodischen Zungen,
umspielt von bunten Vögeln, duftend von bal=
samischen Harzen."

Er las jetzt, und mit dem Gedichte vertraut,
trug seine klangreiche Stimme die Verse rein
und in schönem Ebenmaß vor; sein Auge glänzte,
die Wange röthete sich; er brach ab, um zu er=
klären, dann las er wieder, und je länger er
las, desto farbenreicher und üppiger erschloß sich
die Blume der Poesie. Man erblickte die Ge=
stalten einer herrlichen Zeit lebenvoll und kräf=
tig, im Schmucke kostbarer Gewänder, dahin=
wandeln, die Sprache tönte von ihren Lippen
wie Klänge aus einer andern Welt, die ein
sterbliches Ohr berühren, um es zu erheben und
zu entzücken. Die würdige Liebe eines schönen
und stolzen Prinzen bildet den Vorgrund, man
sieht ein edles Herz im Kampfe mit Verrath,
Tücke, Bosheit aller Art, die vergeblich ihre
dunkeln Künste anwenden, es zu berücken;

siegreich geht es hervor, und Glück und Liebe ei=
nigen sich, es zu krönen. Der Großen Edelmuth,
der Diener Treue und der Fürsten Pracht und
Herrlichkeit bilden farbenreiche Kränze, das kost=
bare Gemälde einzufassen. — Clarissa hatte an=
fangs ohne Aufmerksamkeit hingehört, jetzt beugte
sie sich näher zum Buch. Polly vergaß die Flam=
men des Kamins zu schüren, das Köpfchen auf=
gestützt, blickte sie neugierig und lebhaft gespannt
vom Boden auf und dem Leser in die Augen,
der, das Buch auf seinen Knieen, bald in den
gelben bestäubten Blättern las, bald in dichteri=
scher Begeisterung poetisch die Geschichte ergänzte
und erklärte. Endlich hatte er mehrere Abschnitte
geendet, und sank jetzt, das Buch schließend, in
seinen Stuhl zurück. Die Uhr schlug elf, eine
tiefe Stille herrschte, die nur von hohen athmen=
den Tönen der Bonne, die gleich beim Beginn
der deutschen Lectüre, die sie nicht verstand, ein=
geschlafen war, unterbrochen wurde.

Clarissa nahm ein Monatröslein von ih=
rer Brust, und es zwischen die Blätter als
Zeichen legend, sagte sie: „Ich mache es Ihnen
zur Pflicht, uns noch Mehreres aus diesem
Buche vorzulesen.“ — „Ich bitte auch darum,“
nahm Leopoldine das Wort, „aber nur Sie,
Sie müssen lesen, ein Anderer würde ein solches
Wunder nicht bewirken. Auch die französischen

29

Verſe unſeres göttlichen Poeten möchte ich aus
keinem andern Munde, als aus dem Ihrigen,
hören; ſelbſt der Graf Felix, ſo viel er ſich ein=
bildet auf ſeine Declamation, lieſt mir lange
nicht ſo nach dem Ohr, wie Sie.“

„Du erinnerſt daran,“ hub Clariſſa nach
einer kleinen Pauſe an, „daß wir keine Vor=
ſchläge mehr machen dürfen. Unſere Leſeabende
ſchließen mit dem heutigen.“ — „Und weshalb?“
fragte jene, „ſollte denn der Oheim ſeine Er=
laubniß verweigern, daß Herr Leſſing uns auch
in der Stadt beſuche?“ Clariſſa firirte ihre
Schweſter mit einem ernſten Blicke. Der junge
Dichter bemerkte dieß nicht, er war in finſtere
Gedanken verſunken, und rief jetzt ſeufzend:
„Ja wohl iſt es der letzte Abend! die drei herr=
lichen Wochen, vielleicht die ſchönſten in mei=
nem Leben, ſind jetzt beendet; was kann jetzt
kommen, was ſich nur irgend würdig an eine
ſolche Zeit ſchließen mag.“ Er ſchwieg, die
Wangen waren erblaßt, die zarten Lippen
ſchmerzhaft verzogen, die Hände auf dem Buche
gefaltet. Die beſtürzten Mädchen fragten ihn,
was ihm ſey. „Schönes und gütiges Fräu=
lein,“ rief er, zu Clariſſen gewendet, „wie ſoll
ich es in Worte faſſen, was mein Inneres ſo
ſchmerzhaft bewegt. Wenn mein Geſchick mir
wahrhaft wohlgewollt, ſo hätte es mich nie in

dieſes Haus geführt; ich werde jetzt, gleich dem
Elenden, der einen Blick in die lachende Früh=
lingsflur thun durfte, und dann auf immer
wieder in ſeinen Kerker eingeſchloſſen ward,
ſtets an dieſe ſchönen Stunden denken, deren
letzte ich heute hier zubringe." — Die beiden
Mädchen ſchwiegen, und er fuhr begeiſterter
fort: „Was ich Entzückendes geträumt, Süßes
und Herrliches empfunden, der Raum dieſes
Gemaches ſchließt es ein; die volle üppige
Schale der Freiheit, die reife Frucht der Poeſie,
die duftende Blüthe edler Sitte, meine Seele
hat hier ſie zuerſt kennen gelernt. Dort unten
im niedern Dorfe bei den Eltern, die gut und
ehrlich, aber nur kümmerlich den Sinn an Frei=
heit und Schönheit laben dürfen, hat mein
Geiſt vergebens das geſucht, was hier in Eurer
Gegenwart, in voller Genüge, mir entgegentrat.
Was war ich, ehe ich die Schwelle dieſes Ge=
maches betrat, und was bin ich jetzt, da ich
ſcheidend das Wohlwollen und die Erinnerung
an edle ſchöne Geiſter mitnehme? Aber, Ihr
Holden, iſt es wohl recht, einen armen Jüng=
ling, der mit nichts vergelten kann, durch ſo
viel Güte zu demüthigen? Wahrlich, die Nacht,
in die Ihr ihn jetzt verſtoßt, wird deſto ſchreck=
licher ſeyn!"

Leopoldine wurde von diesen Worten auf
das Tiefste gerührt; sie bereute ihren früheren
Muthwillen, und reichte jetzt vom Boden her
dem Jüngling die Hand, indem sie mit weicher
Stimme sagte: „Wer sagt denn, daß Sie uns
auf immer verlassen sollen? Der Oheim zwar
erlaubt es nicht, daß Sie in der Stadt uns be=
suchen; allein ich werde es so einzurichten wis=
sen, daß weder er noch die Bonne Kenntuiß
davon erhält, wenn Sie uns sprechen wollen.
Glauben Sie mir nur, ich beherrsche das ganze
Haus, mir ist nichts unmöglich.“ Clarissa hörte
diese Rede mit sichtlichem Unwillen an. „Nein,“
rief sie jetzt, „es muß geschieden seyn, und sa=
gen die Dichter nicht selbst, daß Trennung
überall nothwendig sey, gleich den Schatten im
Gemälde, die dazu da sind, um das Licht desto
schöner leuchten zu machen? So wollen wir
auch diese Abschiedsstunde ansehen. Die Muse=
stunden hier im wüsten Schlosse, das uns, wenn
wir daran zurückdenken, mährchenhaft und wun=
derbar vorkommen wird, können ohnedieß in
den geräuschvollen Zirkeln der Stadt nie er=
scheinen; wir wollen dankbar seyn, daß sie uns
überhaupt geworden sind. Herr Lessing hat voll=
kommen recht, wenn er diese Zeit für abgeschlos=
sen ansieht; in ihren Folgen wird sie uns nun
mannigfache Früchte bringen. Uns drei, wo wir

auch später seyn mögen, wird ein festes Band
immerdar verknüpfen: es ist das Band der schö=
nen Dichtkunst, deren innigsten Zauber wir in
diesen kostbaren Stunden genoßen. Dieß sey
uns genug."

Sie sprach diese Worte weich, aber be=
stimmt; ihr großes klares Auge weilte auf dem
Jüngling, dem sie wie eine lichte Erscheinung
vorkam. Er legte das Buch zu ihren Füßen
nieder, und selbst auf den Teppich knieend, rief
er: „O deutsche Poesie! so klar, so licht, so
rein und so erhaben!" —

Clarissa lächelte: „Gut!" rief sie, „ich will
seyn, wozu Sie mich machen, und mit dieser
Rose, dem Boden des herrlichen Gedichts ent=
wachsen, kröne ich Sie als meinen Dichter!
Bei dem Angedenken dieser Stunde, Ephraim,
zeigen Sie sich meiner Krone würdig!"

Eine Pause trat ein, Lessing hatte die
Blume an seine Lippen gedrückt. „Halt!" rief
Leopoldine, die mit einem schalkhaften Blick die
Gruppe betrachtete, „Ihr schließt mich von
der ganzen Verhandlung aus, und zur Strafe
werde ich, wie jene erzürnte Fee, die man nicht
zum Kindtaufschmauß bat, jetzt der Rose den
Stachel zufügen." Sie brachte einen dornigten
Zweig und legte ihn der Blume bei. „So,"

rief sie muthwillig, „nun ist das Geschenk für
einen Dichter fertig!"

Die Bonne erwachte jetzt, sie war der Mei=
nung, die Vorlesung sey eben beendigt worden,
und rief daher mit ihrer näselnden Stimme:
„Bravo, bravo!" Die beiden Schwestern lie=
ßen sie in ihrem Irrthum, und Lessing näherte
sich ihr, um Abschied zu nehmen. Sie entließ
ihn gütig. Als er forteilte und unten ange=
langt, noch einen Blick auf die Fenster richtete,
glaubte er Clarissens schlanke Gestalt zu sehen,
die ihm durch die Dunkelheit nachblickte. Chri=
stian leuchtete ihm mit einer Laterne über den
einsamen Hofplatz.

––––––––

Vom Schlosse heimkehrend, hatte der Jüng=
ling die ganze Nacht fast am Schreibpulte zuge=
bracht. Nach einem kurzen unruhigen Schlum=
mer auf dem Stuhl war er auch jetzt wieder
beschäftigt; die letzte Scene hatte ihn erschüttert
und seinen Dichtergeist so lebhaft erregt, daß
ihm spielend die tiefsten Gedanken, die blühend=
sten, bedeutungsvollsten Bilder zukamen. Er
legte jetzt die Feder nieder, und mit klarem
Auge sah er in die Morgenröthe hinaus, wie

sie eben mit ihrem Purpur die niedrigen Kirsch=
bäume am Fenster übergoß. „So ist es denn
endlich entschieden!" rief er bei sich, „du bist
ein Poet, sie hat es gesagt, und sie kann sich
nicht irren, und ein Poet bist du in ihrem
Dienste! Ungestümes, unerfahrenes Herz, was
wünschest du mehr? Sind jetzt nicht die gold=
nen Träume verwirklicht, die du dir in dunkeln
kümmerlichen Stunden träumtest?" Er blickte
mit einem Gefühl von Andacht und Entzückung
hinüber auf den Hügel, von wo aus der Ferne
die grauen alterthümlichen Mauern des Schlos=
ses sich zeigten. „Ach!" rief er aus, wie un=
recht haben die Philosophen, die die Welt arm
nennen; ihre mißmuthigen Träume wissen nichts
von den Schätzen, den Stunden, wie die jetzige
dem Menschen bietet."

Er wollte eben wieder an die Ausarbei=
tung seines Gedichts geh'n, als er mit heftigem
Aerger den Tritt eines Menschen hörte, der ihn
zu stören kam. Es war seine alte Mutter, die
jetzt leise in die Stube trat, und mit kummer=
vollem Auge den Sohn lange schweigend be=
trachtete. Der Blick ihres Vorwurfs that sich
bald in Worten kund. „Ephraim," rief sie,
„was habe ich sehen müssen, Du bist gestern
wieder auf dem Schloß gewesen, hast die neuen
Kleider, vom Vater vor Kurzem mit nicht

geringen Koften angefchafft, arg zugerichtet; vor
einem Viertelftündchen schickte sie mir der alte
Chriftian, und bittet sich dagegen die seinigen
zurück.“

„Liebe Mutter,“ entgegnete Ephraim ver=
stimmt, „ein Paar Strümpfe sind kein Wun=
derwerk der Welt, es laffen sich bald neue an=
schaffen.“

„Du denkst,“ rief sie, „auch in diesem Stück
viel zu leichtfinnig. Sind es auch nur kleine
Ausgaben, so sind es doch immer welche, und
wer hätte wohl mehr Ursache zu sparen, als Du,
mein Sohn. Der Hausstand wächst, des Va=
ters Einkommen wächst aber nicht, und Du haft
noch nichts ins Haus gebracht, wohl aber viel
hinaus.“

Leffing warf die Feder weg; er war bis in
sein innerstes Wesen hinein verstimmt und be=
leidigt; ohne zu antworten, lehnte er an dem
Fenster. „Was seh' ich,“ hub die Mutter wie=
der an, indem sie sich im Gemach umschaute,
„das Bette ist unberührt, mein Sohn, was haft
Du denn die ganze Nacht hindurch gethan?“

„Geschrieben,“ entgegnete er, und zeigte
auf die Papiere des Tisches.

Sie warf einen Blick dahin. „Verse!“
rief sie, „wieder Verse, und das nennst Du
arbeiten? Damit bringst Du die kostbaren

Stunden hin, die der Mensch nothwendig hat,
um sich zum täglichen ordentlichen Tagesge=
schäfte zu stärken? Ephraim, laß mich diese
frühe Morgenstunde, in der Niemand uns stö=
ren wird, dazu anwenden, Dir mein Mutter=
herz auszuschütten. Ich bin alt, mein Kind,
der Vater ist kränklich, wir beide sind nahe der
Grube; wenn uns der Herr heute oder morgen
abruft, so bleibst Du allein noch der Ernährer
Deiner Geschwister; auf Dir wird die Last des
Hausstandes, auf Dir der Erwerb ruhen. Hast
Du auch dieses bedacht? Wie soll es dann
werden?"

„Liebe Mutter," entgegnete der Jüngling,
„wenn ich das nicht schon früher bedacht hätte,
in diesem Moment wären die Betrachtungen
nur störend und nutzlos."

„Ich verstehe," sagte die Alte, „die Besorg=
nisse und Vorwürfe kommen Dir ungelegen;
dennoch muß endlich einmal die Stunde schla=
gen, von der aus eine heilsame Aenderung und
Umgestaltung vor sich geht. Besser, Du erfährst
aus meinem Munde mit Liebe und Schonung,
was Dir der Vater in seiner harten Weise mit
Strenge sagen würde. Du weißt, mein Sohn,
daß Deine Studienjahre in Leipzig nicht so von
Dir angewandt worden, wie wir es wünschten,
Du selbst hast es uns gestanden; Dein herzlicher

Wunsch war, nach Berlin zu gehen, dort, so versprachst Du, sollte alles anders und besser seyn. Gelehrte und angesehene Freunde, reiche Gönner, feiner gesellschaftlicher Umgang, und ich weiß nicht was sonst noch, war dort im Ueberfluß. Der Vater gab endlich Deinem Begehren nach, und ich sah mit schwerem Herzen Dich in diese verderbte Stadt einziehen. Wie sehr haben sich meine Besorgnisse und bösen Ahnungen bestätigt. Anstatt daß nun Dein Fleiß in den Studien größer, Dein Wandel besser, Deine Sitten reiner geworden, sind schon in der kurzen Zeit, daß Du dort bist, unzählige Berichte eingelaufen, die über Dich auf das heftigste Klage führen."

„Wer schreibt diese Berichte?" rief der Sohn erbittert, „kurzsichtige, armselige Menschen, denen der Vater Vertrauen schenkt, die in dumpfen thörichten Irrthümern grau geworden, und die sich keinen Begriff von Bildung und Welt machen können; vor allen jener gleisnerische tückische Heuchler, der bleiche Christlieb, der mir zu schaden sucht, wo er nur kann; von ihm kommt alles Unheil, jede Verläumdung her."

„Er mag seine Fehler haben," sagte die Matrone besänftigend, „dennoch will er uns wohl, und wir dürfen seine Gunst nicht verscherzen, weil es zu hoffen steht, daß er und seine

3

Schwester, die reiche alte Wittwe Dorothea,
uns dereinst einen hübschen Erbschafts = Antheil
auswerfen werden. Und kannst Du denn jene
Anschuldigungen leugnen, mein Sohn? Ist es
denn nicht wahr, daß Du mehr in der Fecht=,
Tanz= und Reitschule zu finden bist, als in der
Arbeitsstube? Suchst Du nicht die gottloseste
Klasse von Leuten, das Comödiantenpack, Gott
verzeih' mir die Sünde, zu Deinem Umgang
auf? Ja, was das Böseste ist, nennst Du
nicht den elenden, verlorenen Menschen, den
Freigeist Mylius, Deinen Freund? Ephraim,
Ephraim! wenn dieses wahr ist, hat denn der
Bruder Christlieb nicht recht, Dich verloren zu
geben?"

„Nein, er hat nicht recht, Mutter!" rief der
Jüngling, und eine dunkle Zornröthe färbte
seine Wangen. Er wollte weiter sprechen, doch
die frühere Wehmuth bemächtigte sich wieder
seines Herzens. Nach einer Pause setzte er mit
milderer Stimme hinzu: „Wozu mich entschul=
digen, und wer würde mich verstehen?"

Die Mutter trat zu ihm und faßte seine
Hand. „Wie lieb ist es mir," sagte sie, „daß
Du Dein Unrecht einsiehst; jetzt fasse ich neue
Hoffnung. Nun wirst du mir auch die Bitte
nicht abschlagen, welche der eigentliche Grund
meines Kommens ist."

Lessing küßte die ihm so theure Hand, er fühlte nur zu wohl, daß der Sturm seiner Gefühle hier schweigen mußte. Die Alte blickte ihm freundlich in die Augen, und setzte beruhigter ihre Rede fort: „Der Vater will, daß Du Morgen nach Berlin zurückkehrest, damit Du den angesehenen vornehmen Gönner nicht verfehlen mögest, der, wie Du weißt, die Absicht hat, seinem Sohne Dich als Begleiter und Hofmeister auf der Reise mitzugeben. Da sich bei dieser Gelegenheit auch Aussichten auf eine zukünftige bleibende Anstellung zeigen, so darf diese Angelegenheit um so weniger leicht genommen werden. So vortheilhaft aber jener fremde Mann von Dir zu denken geneigt ist, so würde er doch unfehlbar seine Meinung ändern, wenn er gewahr würde, wie Du lebtest, mit welchen Leuten Du umgingest. Es ist darum durchaus nöthig, daß Du von dem Tage an, wo Du Dich ihm zeigst, Deinen früheren Freunden und Bekannten den Abschied gibst. An Gründen, mit ihnen zu brechen, wird's Dir, wenn Du nur ernstlich willst, gewiß nicht fehlen, und Du hast dann durch eine schnelle entscheidende Wendung das Ziel erreicht, wohin Du, wenn diese Veranlassung sich nicht gezeigt, vielleicht lange mühsam und fruchtlos gestrebt hättest. Des Gesindels bist Du ledig, und beginnst ein neues, ge=

ordnetes, glückliches Leben! Versprich mir, mein
Sohn, diesem meinem Rathe Folge zu leisten."

„Ich verspreche," entgegnete der Jüngling,
„so lange jener fremde Mann in der Stadt
verweilt, mich ihm ganz zu widmen, und keinen
meiner früheren Bekannten aufzusuchen."

„Auch dieses ist mir, als erster entscheiden=
der Schritt, genügend," sagte die Mutter, und
schloß ihren Sohn mit herzlicher Umarmung an
ihre Brust. „Ich weiß, wie schwer es ist, das
Alte abzustreifen und das Neue anzunehmen;
ich will nicht unbillig seyn. Bin ich doch fest
überzeugt, daß Du, einmal eine andere Straße
einschlagend, selbst nicht mehr zu der alten
zurückkehren wirst. Hast Du erst edle treffliche
Menschen kennen gelernt, fühlst Du, daß Du
mit Achtung und Freundlichkeit in ihre Mitte
aufgenommen wirst, so wird von selbst jeder
Wunsch, die alten unwürdigen Freundschaften
aufzusuchen, wegfallen. Zudem table ich's nicht,
daß Du den Vornehmen Dich anzuschließen
suchst; nur möchte ich auch hierüber Dir meine
Ansichten mittheilen. Du bist jung, Dich reizt
das Glänzende, womit sich jener bevorrechtete
Stand umgibt. Man findet vielleicht seine
Zwecke dabei, Dich anzulocken, Dir scheinbar
einen Platz, der Dir nicht zukommt, einzuräu=
men. Doch je deutlicher dieß der Fall ist, desto

mehr mußt Du auf Deiner Hut seyn. Ich
kenne die Welt, mein Sohn; ich habe auch
jene Leute beobachtet, in deren Nähe Du lebst.
Sie gleichen der Katze, die mit scharfer Kralle
denjenigen fern zu halten weiß, den sie selbst durch
Glätte und Freundlichkeit an sich gelockt. Am
wenigsten traue ihnen im Punkte der innigern
Gefühle, der Freundschaft, der Liebe; sind sie
auch unter einander wahrhaft und treu, so tritt
doch sogleich Falschheit und Verrath, auch bei
den Bessern, ein, wenn es einen Bund gilt
mit dem aus niederem Stande. Bieten sie Dir
daher Freundschaft an, so gib ihnen thätigen
aber kalten Diensteifer dagegen. Schmeicheln
sie Dir mit Liebe, so bleibe fest in den Schran=
ken jenes Pflichtgefühls, das, immerdar beson=
nen und frei, jeden erfahrenen Mann so wohl
kleidet. Achtung jedoch darfst Du fordern, und
Achtung werden sie Dir auch nie versagen.
Hast Du auf diese Weise Deine Stellung ge=
sichert, so ist mir auch nicht bang, daß Dir die
Verderbtheit der großen Welt Schaden bringt,
denn die gefährlichsten Thorheiten und Untu=
genden für uns sind die, welche, indem sie ge=
liebten Gegenständen anhaften, uns selbst lie=
benswerth erscheinen. Und so, mein geliebter
Sohn, bin ich Dir dankbar, daß Du mich hast
völlig aussprechen lassen. Ich bin jetzt um

vieles getrösteter und beruhigter. Du kennst
und verstehst meine Ansicht, mein Wort ist Dir
immerdar heilig gewesen, und so habe ich denn,
wie sich nun auch Dein Leben und Wirken
ferner gestalten möge, in der Hauptsache sichere
Bürgschaft für Dein Wohl."

Sie schloß ihn noch einmal zärtlich in ihre
Arme, und entfernte sich dann, um ihren Ta=
gesgeschäften nachzugehen. Der Sohn blieb ein=
sam zurück; er sah ihr lange nach, und lauschte
ihren Tritten, wie sie sich auf der Stiege und
im Vorsaal verloren. Es wurde ihm in der
engen Stube zu beklommen; auch er eilte hin=
unter in den Garten, und begab sich auf ein
Lieblingsplätzchen, um in der Einsamkeit und
in frischer herbstlicher Morgenluft seinen finstern
treibenden Gefühlen nachzuhängen. Er fühlte
bitter den Streit zweier gleich starken Neigun=
gen in sich: die eine lebhaft angefacht durch die
Scene im Schlosse, durch Clarissens Lob, trieb
ihn, ein schönes glänzendes Ziel schnell und
freudig zu erstreben; die andere, durch den
Zwang der Verhältnisse und die mütterlichen
Ermahnungen nicht minder scharf seinem Geiste
vorgehalten, forderte die Bekämpfung und Er=
tödtung alles dessen, was nicht dem nächsten
pflichtgemäßen Zweck diente. Als er so grübelte,
fiel ihm der Schluß der mütterlichen Rede auf

er sann auch diesen Betrachtungen nach, indem
er sie seiner Lage anzupassen suchte; allein es
wollte aus allen diesen Gefühlen und Ansichten
kein klares Bild erstehen. Unmuthig sprang er
auf und folgte dem Diener, der eben in den
Garten trat, und ihn zum Vater hinbeschied.

Der alte Lessing stand in seiner Studier-
stube, im sonntaglichen Staate, geputzt und war-
tend da. Es war heute ein Fest in der Familie; die reiche Wittwe, Frau Dorothea, feierte
ihren Geburtstag, und jene fromme Secte, zu
der sie gehörte, hatte in ihrem Hause vor der
Predigt eine kleine Versammlung festgesetzt.
Zugleich beabsichtigte man an diesem Tage die
Aufnahme eines neuen Mitglieds, welches aus
einer dieser feindlich gegenüberstehenden Secte
überzutreten wünschte. Das damalige Berlin
stellte in dieser Hinsicht ein merkwürdiges Gemälde dar. Je mehr die Großen, der König
an ihrer Spitze, was Religionsmeinungen betraf, sich dem Scepticismus und Indifferentis-
mus hingaben, desto mehr suchten, wie es
schien, die niedrigern Klassen durch die ängst-
lichste und gewissenhafteste Aufrechthaltung der
strengsten Lehrsätze und Meinungen das Gleich-
gewicht wieder herzustellen. Es entstand gleichsam ein Wettstreit, wer es dem andern an
Frömmigkeit zuvorthun könne, und hier, wie

überall, war es der Menge am Ende nur um
Aeußerlichkeiten zu thun, und diese wurden nun,
im Haß der Parteien, zu wahren Abnormitäten
ausgebildet. Die Folge war nun jene Menge
verschiedener Secten. Zwei von diesen standen
sich durchaus entgegen; die eine, vom Pöbel
spottweise die frommen Zopfträger des Herrn
genannt, befliß sich eines strengen gewissenhaf=
ten Wandels, entfernte jede, auch noch so schuld=
lose äußere Ausschmückung, und behielt vom
weltlichen Putz nur das einzige, den Zopf bei,
den sie gravitätisch zur Schau trugen, und der
ihnen jenen Spottnamen verschaffte. Die andere
verwarf in ihren Grundsätzen den Ernst und
die Beschaulichkeit; sie ging von der Ansicht
aus, daß der wahre Christ, im Vertrauen auf
den ihm zugesicherten göttlichen Beistand, die
Gefahren und Bedrängnisse, welche dem kurz=
sichtigen befangenen Menschen so drohend er=
schienen, getrost verlachen könne. In jedem sie
betreffenden Mißgeschick sahen sie daher eine
willkommene Gelegenheit, Muth und Freudig=
keit an den Tag zu legen. Man sah sie nie
traurig, immer fröhlich, ja sogar ausgelassen;
sie vermieden nicht nur nicht die weltlichen
Vergnügungen, sondern sie suchten sie auf, und
je weniger manche diesen scheinbaren Leichtsinn
im Charakter trugen, desto mehr suchten sie sich

ihn anzulügen. Das Beispiel, daß Leute von der ernsten kummervollen Secte zu der lustigen über= gingen, war schon öfters da gewesen. Seltener war der umgekehrte Fall, und deßhalb beschloß man auch jetzt den Neuaufzunehmenden besonders zu ehren. Lessings Vater, obgleich im ganzen diesem Wesen abhold, fand es doch aus Rück= sichten für nothwendig, den Versammlungen bei seinen Verwandten, so lange eine billige Mäßi= gung in ihnen obwaltete, beizuwohnen; er be= wog Sohn und Frau ebenfalls zum Mitge= hen, und so langte die Familie im Hause der Wittwe an, als der Kreis der schwarzgekleide= ten frommen Leute schon beisammen war, und bereits den dünnen Kaffee schlürfte.

Die Festgeberin, eine beleibte frische Ma= trone, begrüßte ihren Verwandten besonders herzlich, und wies dem Ehepaar den Ehrenplatz zwischen sich und ihrem Bruder Christlieb an. Ein blauer Weihrauchdampf erfüllte das niedrige Zimmer; aus diesen Wolken sah man die starr= dasitzenden schwarzen Gestalten mit ihren unbe= weglichen blassen Gesichtern hervorragen. Chri= stian, der jetzt mit der Frau Gertrud herein= trat, machte die Versammlung vollzählig; beide nahmen, aus schuldiger Achtung für den Herrn Pastor, die untersten Sitze ein. Nach= dem ein paar Lieder gesungen worden, erhob

sich Christlieb, um den Ankömmling, welcher
noch im Nebenzimmer harrte, einzuführen.

„Ich muß nur bemerken,“ rief der vorsich=
tige Mann, „daß, so trefflich auch die Gesinnun=
gen unseres neuen Bruders seyn mögen, ihm
dennoch vom alten Sauerteig, von den seltsa=
men Ansichten jener mehr als thörichten Leute,
einiges anklebt, welches einer üblen Deutung
fähig wäre, wenn man nicht vorläufig davon
in Kenntniß gesetzt wird.“

Er ging, und führte bald darauf einen lan=
gen dürren Mann herein, der, in einer ärmli=
chen engen Kleidung steckend, eine Menge klei=
ner unbeholfener Verbeugungen machte, indem
er auf das freundlichste dreinsah. Die hervor=
stehende Kniee und dünnen Beine, so wie die
langgespaltenen Finger bezeichneten ihn genügend
als Leinweber.

„Macht keine Umstände, Maths,“ rief der
ihm zunächst Sitzende, ein Schulmeister, „nehmt
Platz, und erzählt uns etwas aus Eurem Le=
ben. Da Ihr jetzt zu uns gehört, so wollen
wir uns auch näher mit Euch und Euren
Schicksalen bekannt machen. Wie ist’s Euch
denn bis jetzt ergangen?“

„Herrlich, trefflich, überaus glücklich!“ ent=
gegnete der Ankömmling, und die Runzeln sei=
nes Antlitzes verzogen sich zu noch größerer

Freundlichkeit. „Ich habe in Luſt und Freude gelebt, Wohlleben alle Tage.“

„Hm,“ rief der Schulmeiſter, „da habt Ihr genoſſen, was bei uns ſelten iſt. Der Arbeiter im Weinberge des Herrn hat wohl von Mühe, Nothleiden und Anſtrengung zu erzählen, nicht aber von Luſt und Wohlleben; auch ſeht Ihr mir nicht ſehr nach Wohlleben aus, Freund Maths!“ —

„Ich habe,“ fuhr der Leinweber mit Lächeln fort, „ſehr frühe meine lieben Eltern verloren, ſie hinterließen mich und noch ſechs Geſchwiſter in der größten Armuth. Mein Elend rührte einen Verwandten, er nahm mich in ſein Haus, und erzog mich mit Güte und Freundlichkeit. Zwei Jahre befand ich mich bei dieſem frommen gottesfürchtigen Manne, als auch er ſtarb, und ich wiederum verlaſſen und hülflos nachblieb, denn die Erben jenes Mannes waren hartherzig und ſchlecht genug, mir noch das Wenige zu rauben, was ich von meinem guten Pflegevater erhalten. Sie ſtießen mich auf die Straße; es rührte ſie nicht einmal, daß eine heftige Krankheit mich befiel, und ich dem Tode nahe war.“

„Unglück über Unglück!“ rief der Schulmeiſter. „Aber Freund, warum lächelt Ihr denn dabei ſo ſpaßhaft?“

„Ist denn nicht alles zu unserm Besten?"
sagte der Erzähler, und rieb sich fröhlich die
Hände. „Doch gebt nur Achtung, der Himmel
machte mir noch mehr solcher Freuden. Ich besaß
nichts, war verlassen von aller Welt, sterbend,
es konnte mir nicht besser gehn! Da geschah
es, daß bei den damaligen großen Kriegsläuf=
ten eine Noth an Soldaten eintrat, und man,
wo man nur immer konnte, die Leute aufgriff,
und sie dazu machte. Wie ich nun so verlassen
an der Straße dalag, trat ein großer freundli=
cher Mann zu mir, der herzliches Mitleid mit
meiner Blöße und Armuth hatte. Gütig wie er
war, hieß er mich aufstehen und ihm in seine
Wohnung folgen. Hier gab er mir Obdach und
Kleidung, und ich durfte bei den Seinigen le=
ben; zugleich schaffte er Heilmittel herbei, die die
Krankheit vertrieben und mich gesund machten.
Als er mich so weit sah, trat nun seine wahre
Absicht mit mir hervor: nicht Menschenfreund=
lichkeit und Güte war es gewesen; er wollte mich
unter die Soldaten stecken, was ihm auch gelang.
Hier hatte ich nun eine herzliche Freude nach
der andern; kein Tag verging, wo ich nicht
Schläge vom Corporal oder meinen Kameraden
erhielt. Ich mußte Hitze und Kälte mehr als
die andern erleiden; man stieß mich vom Lager,
wenn ich schlafen wollte, und wenn ich gerne

gewacht hätte bei einem luſtigen Gelage, ſo ver=
wieß man mich zur Ruhe. Dieſes Leben nun,
wie es nicht anders ſeyn konnte, bekam mir,
was meine unſterbliche Seele betraf, ganz vor=
trefflich; mein Körper jedoch ſchlug gleichſam
immer mehr in ſich, und ſchwand mir gewiſſer=
maßen unter den Händen weg. Ich beſchloß,
meine Freuden und Genüſſe ein wenig abzukür=
zen, nämlich: als es zu einem Gefecht kam,
ſtellte ich mich, von einer Kugel getroffen, todt,
und entrann ſpäter beim Getümmel und eintre=
tender Nacht, ohne bemerkt zu werden. Es ge=
lang mir, ein Jahr hierauf in einem Städtchen,
an der Grenze, ein ordentliches Gewerbe anzu=
fangen, welches bald ſo viel abwarf, daß ich
mir einen eigenen Webſtuhl kaufen konnte.
Jetzt lebte ich ſtill und arbeitſam, erwarb mir
einiges Gut, und erhielt zuletzt die Tochter mei=
nes Lehrers und Meiſters zum Weibe. Dieſes
ſcheinbare Glück, und das damit verknüpfte
ruhige Leben, machte mich aber betrübt und
nachdenklich; es kamen mir allerlei traurige
Bilder, und wer weiß, was aus mir geworden
wäre, wenn mir der Himmel nicht wieder eine
recht große Freude bereitet hätte: mein Häus=
chen brannte bis auf den letzten Balken ab.
Das erworbene mir geſchenkte Gut war nun
wieder fort, ich wieder arm und verlaſſen. Noch

mehr, um es kurz zu faſſen, ich erlebte nun
noch die Freude, daß mein geliebtes Weib ſtarb,
daß der ſich annähernde Krieg mich hinaus=
trieb, und endlich allerlei Fälle, die der ge=
wöhnliche blinde Menſch Unglücksfälle nennt,
meine Schritte hieher lenkten, wo ich denn die
früheren Genoſſen fand, welche eben ſo glücklich
geweſen waren, wie ich, alles zu verlieren, was
der Menſch Theures und Liebes nur beſitzen
kann." —

Er hatte dieſen Bericht lächelnd begonnen,
und, immer heiterer und fröhlicher werdend,
ſchloß er ſeine Worte mit einem herzlichen Ge=
lächter, in das, ſo ſeltſam es war, ein Theil
der Anweſenden mit einſtimmte. Man ſah lau=
ter fröhliche Geſichter, als wenn die ſpaßhafteſte
Geſchichte von der Welt erzählt worden. „Ja,
ja!" rief der Leinweber immer noch lachend,
„geſchieht denn nicht alles zu unſerm Beſten?"
Der alte Chriſtian, dem dieſes Thun und
Treiben Thorheit ſchien, ſah mit ernſtem nach=
denklichem Blick den wunderlichen Mann an,
und Chriſtlieb ſagte jetzt mit Nachdruck: „Thut
dieſes Weſen von Euch, Freund Maths, es will
ſich überall nicht und hier am wenigſten ſchicken.
Freilich geſchehen alle Dinge zu unſerm Beſten,
und ſelbſt Leiden und Widerwärtigkeiten ſollen
wir in dieſer Ueberzeugung freudig hinnehmen,

allein Euer Lachen und Luſtigthun iſt eben ſo unnatürlich als unangemeſſen. Lernt in unſrer Geſellſchaft, was dem denkenden Chriſten ge= ziemt, und thut, wie geſagt, jenes Weſen auf immer von Euch."

„Der Himmel weiß," entgegnete der Ge= ſcholtene kleinlaut, „wie wenig es mir auch da= mit Ernſt iſt. Jene Lache, die ich aufſchlage, gehört eigentlich gar nicht mir, ſie iſt geborgt, wie man ſich falſche Zähne und falſches Haar borgt, ebenſo auch alle jene Redensarten und das Freudigthun, was mir nun leider ſchon zur Gewohnheit geworden. Gerade wenn ich am elendeſten geſtimmt und faſt gebrochenen Her= zens bin, meldet ſich jenes hohle Gepolter in mir, und ich muß ihm folgen; dabei regt es ſich in Arm und Bein wie zu Sprung und Tanz. Wer mich dann ſo ſieht, hält mich für einen leichtſinnigen gedankenloſen Mann. Die Worte Freude, Glück, kommen mir in den Mund, wie andern das Ach und Weh; die ganze Maſchine meines denkenden Menſchen iſt gleichſam verrückt, ſo daß keine Erſcheinung mehr paſſen will, und, indem die Räder falſch geſtellt laufen, tönen, wenn die ernſteſte Melo= die ſich hören läßt, immer einzelne Takte des Trompeterſtückchen hinein. Wenn ich nur das alte unverfälſchte Lachen meiner Kindheit wie=

derfinden könnte; allein es ist so verbaut und entstellt durch das falsche Gerüste, daß ich stets vergeblich darnach suche."

„Euch soll geholfen werden," rief der Schul= meister. „Seyd getrost!"

„Wenn es nur noch möglich wäre," ent= gegnete der Leineweber; „ich habe eine rechte Sehnsucht nach Ernst, Tiefsinn und Nachdenken; allein ich fürchte, daß die Fäden des Einschlags meines Charakters so verwirrt sind, daß nim= mermehr ein ordentliches Stück Zeug wird zu Stande kommen."

Man suchte den Armen zu trösten, und Christlieb sagte: „Euer erlebtes Unglück und unsere Gemeinschaft mit Euch, werden Euch schon zur Vernunft bringen."

Die Gesellschaft besprach sich jetzt über ei= nige wichtige abzuschließende Verhandlungen. Es wurden Almosen=Beiträge bestimmt, neue Hülfsbedürftige, die sich gemeldet hatten, mit Namen und Wohnort bemerkt, und ihre mehr oder minder gegründeten Ansprüche auf Unter= stützung ausgemacht. Dann folgte wiederum ein geistliches Lied, in das auch Maths einstim= men durfte; zuletzt erhob sich der Kreis, indem einige sich in eine zweite Versammlung verfüg= ten, andere dem Prediger in die Kirche folg= ten. Der alte Lessing beklagte sich gegen seine

Verwandte, daß man die einfältigen Reden je=
nes Thoren geduldet habe. Die Wittwe jedoch
nahm sich ernstlich des Unglücklichen an, und
die Mutter Lessings sagte: „Ist nicht am Ende
in jeder Thorheit Weisheit verborgen? Wäre
jener Krankhafte ein vorsätzlicher Heuchler, so
verdiente er unsern Abscheu, unsere tiefste Ver=
achtung, und seine Reden wären lästerlich; so
aber erscheint er als eines jener kindlichen un=
mündigen Gemüther, die in unbewußter Thor=
heit sich dem Verkehrtesten mit einer Andacht
und Ueberzeugung hingeben, die den Zorn ent=
waffnet und ihnen unser Mitleid sichert."

Als die Gesellschaft die Stube verließ, trat
Christlieb zu dem jungen Lessing, und sagte:
„Nicht wahr, Herr Poet, diese Scene wird Eu=
rer weltbekannten Satire wieder Stoff geben?
Freilich sind die steifen lächerlichen Schwarzröcke,
die nicht tanzen, fechten und reiten können, recht
wie zu Zerrbildern geschaffen! Auf Wieder=
sehen, Herr Poet, in Berlin!" — Er ging zur
Thüre hinaus, ehe der Jüngling ihm antwor=
ten konnte. Als Christian sich auch jetzt erhob,
um mit Gertruden den Uebrigen zu folgen,
machte sich der Leinweber an ihn, und rief mit
seiner demüthigen Freundlichkeit: „Es ist mir,
Ehrwürdigster, als hätte ich Euch bei irgend
einem meiner lustigen Abenteuer schon erblickt."

4

— „Ihr irrt Euch," entgegnete der Gefragte
kurz, „ich kenne Euch nicht."

„O," sagte Maths lachend, „Ihr seyd ge=
wiß noch nicht so recht glücklich gewesen wie
ich, denn im Glücke, wollte sagen im Unglücke,
erhält der Mensch ein scharfes Gedächtniß."

„Zum Teufel!" schrie Christian, „seyd still,
Kerl, was ist das für ein wahnsinniges Ge=
jauchze! Ihr seyd mir eine widerwärtige Per=
son." Er schob sich eilig hinaus, und der arme
Leinweber blieb mit einem trüben nachdenklichen
Gesichte zurück.

Unser Dichter war bereits vierzehn Tage
in Berlin, ohne daß er, dem gegebenen Worte
treu, seine alten Freunde und Bekanntschaften
aufgesucht; die ihm von den Studien übrig
bleibende Zeit brachte er damit hin, sich jenem
vornehmen und angesehenen Gönner näher zu
verbinden, durch Aufmerksamkeit und kleine
Dienstleistungen aller Art, welche jenem, in der
Stadt und Gegend noch Fremden, sehr zu stat=
ten kamen. Auf einem dieser Gänge begegnete
er seinem frühern vertrauten Freunde Mylius,
der ihn verwundert anblickte, und nicht glauben

wollte, daß er es selbst sey. „Ist's möglich,"
rief der lebendige junge Mann, „Sie hier, ver=
ehrter Ephraim? Eher hätte ich doch den Un=
tergang dieser frommen Stadt prophezeit, als
Sie in diesen Straßen wandeln zu sehen, ohne
daß Ihr zärtlichster Freund nur eine Sylbe da=
von weiß." Lessing freute sich, den fröhlichen
Kameraden, der stets guter Dinge war, in seine
Einsamkeit wieder hinein lächeln zu sehen; er
konnte es ihm nicht abschlagen, ihn bis zur ent=
fernten Wohnung hinzubegleiten, und Mylius
erzählte unterdessen auf seine Weise, was sich in
Berlin zugetragen. „Unter anderem," sagte er,
„bin ich wieder einmal durch's Examen gefal=
len, und zwar durch ein philosophisches; ich be=
trachte diese Anstalten gleich einem Siebe, je
öfter man durchfällt, desto geläuterter und besser
wird man; für keinen Preis möchte ich zu den
Hülsen gehören, die oben bleiben."

Lessing war verwundert. „Wie," rief er,
„Du, der Du nichts thust, als philosophische
Systeme aushecken? der Du mit nichts zufrie=
den bist, alle große Geister über die Achsel an=
siehst — Dich hat man so behandeln dürfen?"

„Freilich," war die Antwort, „weil ich eben
mit nichts zufrieden bin, ist man's auch nicht
mit mir. Doch laß das; jetzt, da Du wieder
hier bist, soll es nach alter Weise lustig

hergehen. Vor allem muß ich Dir vom Thea=
ter erzählen: Es geht ganz nach Wunsche,
Theuerster; die Madame Golzig und ihre Hi=
strionen sind ganz entbrannt in Dein Stück,
sie bringen es zur Aufführung. Hörst Du,
Deine Miß Sara Sampson! Und die kleine
Sabine wird die Miß machen. Ich versäume
von den Abenden bei der Golzig keinen einzi=
gen, und gib acht, eher fließt die Spree zurück,
als daß unser neuer guter Geschmack sich nicht
Bahn bräche!"

„Was mein Drama betrifft," sagte Lessing,
„so sind mir andere und bessere Gedanken gekom=
men; ich werde es von der Golzig zurückfordern.
Auch bin ich Willens, mich mit dieser Frau und
ihrer Gesellschaft nicht mehr abzugeben."

Mylius überhörte diese ganze Rede. Beide
kamen jetzt an einem Hause vorbei, wo eine
schöne Frau wohnte, die sich zufällig eben am
Fenster zeigte. „A propos!" rief der junge
Philosoph, „wissen Sie auch, daß Gellert in
Berlin ist? Wir müssen ihn aufsuchen, er muß
uns kennen lernen; es wird ihn freuen, Leute
zu sehen, die ihre künftige Berühmtheit schon
fertig verbrieft in der Tasche haben. Doch, was
seh' ich, da ist ja der Garten der Golzig, es
klingt Musik darin; richtig, am Samstag zieht
sie immer herüber. Kommen Sie hinein!"

Leſſing, der ſchon wider Vorſatz und Wil=
len dem Freunde bis vor's Thor gefolgt war,
erklärte ſich beſtimmt gegen den Eintritt, er
ſchützte die eintretende Dämmerung vor, um
ſich ſchleunig nach Hauſe begeben zu dürfen;
allein ſein lebensfroher Geſellſchafter wollte von
keiner Einrede etwas hören. Als der Dichter
nicht gutwillig ihm folgte, nahm er ihn unterm
Arm, und ſchob ihn mit Gewalt in die offenſte=
hende Pforte. Gleich in den erſten Gängen traten
zwei Freunde, die ſich auch mit den Schauſpie=
lern abgaben, zu ihnen, und bezeugten lebhafte
Freude, Leſſingen wieder zu ſehen. Sie gingen
mit einander weiter, und kamen an einen be=
ſchatteten Platz, wo es in der Dunkelheit, die
ſich hier verbreitet hatte, ſchien, als ſchwebte
eine weiße Geſtalt mit eiligem Fluge um die
rauſchenden Baumgipfel herum. Als ſie näher
traten, ſahen ſie, daß es ein Mädchen war, die
ſich auf einer Strickſchaukel ſchwingen ließ. Der
Knabe, der die Schaukel in Bewegung ſetzte,
ließ jetzt die Arme erſchöpft ruhen, indem er
ſich weigerte, weiter einen Dienſt zu verrichten,
der ſeine Kräfte zu überbieten ſchien. Mylius
ſprang hinzu, er erkannte die Schauſpielerin
Sabine, welche in nachläßiger Stellung in den
engen Seſſel hinein gefügt, den Kopf auf den
Arm geſtützt, auf= und niederflog; ſie ließ es

geschehen, daß ihr kleiner Page einen rüstigern
Stellvertreter fand, und indem dieser den schon
etwas erlahmten Schwung der Schaukel neu
belebte, nahm er Gelegenheit, den neuangekom=
menen Freund, der in der Nähe stand, vorzu=
stellen. Die auf= und niederfliegende Schöne
knüpfte nun ein eiliges und verwirrtes Gespräch
an, das öfters stockte, wenn der Sprecherin
durch den Schwung die Luft ausging. Der
Knabe hatte auf ihr Geheiß ein paar bunte
Lampen gebracht, die er in's Gras auf den Bo=
den stellte, so daß die dunkeln Gebüsche und die
fliegende Gestalt dadurch auf das seltsamste be=
leuchtet wurden.

„Ich kenne nichts Schöneres," rief das Mäd=
chen, „als so in der Nacht durch die träumeri=
schen Lüfte in die schlafenden Baumgipfel zu
fliegen!"

„Ja wohl," entgegnete Mylius, „besonders
wenn man ein paar hübsche Füßchen nebst de=
ren Anhang zu zeigen hat."

„Ich denke nicht mehr an die Füße, wenn
ich die Erde und ihre Albernheiten hinter mir
habe!" rief das Mädchen aus den Lüften her=
ab; „wissen aber möchte ich doch, wofür mich
die schlafenden Vögel halten, wenn ich so auf=
fahrend in ihre Nester gucke."

„Ohne Zweifel," antwortete Mylius, „für ihresgleichen, und zwar für einen lockern Vogel." Sabine streifte ihm im Niederfahren mit dem Fuß den Hut vom Kopfe.

Es war unterdessen ganz finster geworden, eine drückende, in dieser späten Jahreszeit ungewöhnliche Schwüle, verkündete ein Wetter, das im Westen langsam aufzog. Aus dem erleuchteten Gartenhause ertönte Musik und Gelächter. „Sie können sich nur freuen, wenn sie Wein und Speisen vor sich sehen," rief Sabine, „und," setzte sie zu Lessing hinzu, „wo sind Sie denn indeß gewesen, Herr Ephraim?"

„Zu Hause, bei meinen Eltern," antwortete der Jüngling.

„Ach! auch ich hatte ein Haus," seufzte das Mädchen, „ein Haus, wo ich ein glückliches frohes Kind war. Es stand am Ufer eines Baches, der melancholisch seine Wellen unter überhängenden Birken dahinfluthen ließ. Ach laßt mich herab, ich will nicht mehr fliegen, die Erde ist doch schön! ich will nicht mehr fliegen."

Die Schaukel wurde angehalten, und indeß Mylius sich der Seile bemächtigte, glitt das erhitzte Mädchen in Ephraims Arme. Ein dumpfer Donner rollte, und einzelne warme Tropfen fielen herab. Sabine hing sich an

Lessings Arm, und sie gingen schweigend dem
Hause zu. Als sie an den Tisch traten, der
mit Speisen und Getränken, zugleich mit Bü=
chern und Kupferstichen bedeckt war, und an
dem die ganze Gruppe der Schauspieler Platz
genommen hatte, wurde Lessing mit einem
rauschenden Beifalle begrüßt. Es fand sich,
daß man so eben von dem neuen Drama und
dessen Darstellung gesprochen, und jetzt war da=
her ein doppeltes Interesse mit der Erscheinung
des Dichters verknüpft. Diesem wurde es
schwer, der Fluth von Fragen und Lobsprüchen
zugleich zu begegnen. Mit Mühe gelang es
ihm endlich, so weit vorzudringen, daß er mit
Ruhe der Madame Golzig seinen Entschluß
mittheilen konnte, die Darstellung seines Ge=
dichts für dießmal zu verhindern. Kaum waren
jedoch die Worte heraus, als auch der lebhaf=
teste Widerspruch von allen Seiten her laut
wurde. Im Geschrei und Gezänke schaffte sich
die Stimme der Principalin Raum. „Wie?“
rief sie entrüstet und beleidigt, „das Stück un=
tersagen, das Manuscript uns wieder fortneh=
men? und wofür hätten wir denn all' die An=
stalten getroffen? Nein, verehrter Herr Les=
sing, so gerne wir Theater spielen, so ungerne
sehen wir, daß man mit uns Theater spielt;
das Stück bleibt in unsern Händen, und wird

aufgeführt." Der Beifall der Uebrigen stimmte
ihr bei diesen Worten bei, und nachdem sie aus
einem ziemlich großen Punschglase einen Zug
gethan, setzte sie begeisterter ihre Rede fort:
„Sie sollten sich schämen, Herr Lessing, mit Ih=
ren Gaben, Ihren Talenten so kleinlaut und
verzagt zu thun; habe ich Ihnen nicht schon
tausendmal versichert, daß Sie zum Bühnen=
dichter geboren sind? Es hat bis jetzt Niemand
unter unsern Poeten, straf mich Gott, eine so
excellente Piece zusammenbringen können, als
Ihre hübsche Miß. Was helfen mir Verse,
und Verse und immer Verse, die kann ich auch
machen; aber so eine kunstreiche Verhandlung,
mit allen dazu passenden Reden, Abgängen, Af=
fecten und Charakteren auszugrübeln, ist nicht
Jedermanns Sache. Doch ich habe, wenn's
gut geht, auch mein Verdienst. Mit vielen Ko=
sten sind ganz neue Kleider angeschafft und
zwei neue Akteure gewonnen worden; kurz, die=
ses Stück soll mir die Kasse füllen, und meiner
Bühne, die einigen Schaden erlebt hat, vol=
lends auf die Beine helfen."

Lessing zog sich vom Tisch zurück, er sah
ein, daß bei der lebhaften erhitzten Frau für
diesen Moment nichts zu erreichen sey. Unmu=
thig warf er sich auf einen Sessel, der von der
Gesellschaft geschieden am Fenster stand; man

beachtete ihn auch nicht weiter, und er durfte
ungestört seinen Gedanken freien Lauf lassen.

Zwei Theaterfreunde, die jetzt hereintraten,
brachten sofort neues Leben an den Tisch. Der
eine von ihnen, ein magerer Franzose, mit ei=
ner durchdringenden feinen Stimme, behauptete,
was Urtheile über Bühne und Kunst betraf,
den ersten Platz. Er fand entschiedenen Bei=
fall und Glauben, einestheils weil er eben ein
Franzose war, anderntheils, weil man vermu=
thete, daß er hohen Standes sey, welcher
Glaube auch die Aufnahme des Fremden in
den vornehmen Kreisen der Hauptstadt zu be=
stätige schien. Wie das Gespräch jetzt auf die
beiden neuen Schauspieler und ihre in Frage
stehende Tüchtigkeit kam, rief er: „Wozu sik
streiten? ce n'est q'une seule règle que je
donne, hat sie Anstand die Akteur, hat sie kei=
nen? voilà tout! und um das zu probir, mak
if so: if laß ihn mir bringen tout simplement,
einen Stuhl, bringt sie den Stuhl mit grace,
nit zu schnell, nit zu langsam, stoßt sie nirgends
damit an, so ist der Akteur fertig, und diesel=
bige kann dann nachher maken einen héros,
einen Komiker, alles! oui, mes enfans, An=
stand, Anstand c'est tout in diese Welt. Ohne
Anstand auf der Bühne findet ein anständik
Publikum kein Vergnügen, ohn' Vergnügen

fein Spektakel!" — „Charmant," rief die
Menge, „deliziös! Der Anstand ist's! der An=
stand soll leben!" Einige stießen ihre Gläser
an einander, und der magere Sprecher fuhr
fort: „Par exemple, mes amis, der große
Lecain, seyn die erste Künstler gegenwärtig
à Paris, hab' mit ihm oft dinirt und soupirt,
und mich gestritten über das Kunst, und selbige
hat mir nachher versifert, parole d'honneur,
if haben viel Talent zum Akteur, warum, weil
if hab grace, und jeder Franzos haben grace.
Neben sie Af, wie if nimm, par exemple, dieß
Glas; sehen sie den Hand, die Finger, alles hat
sein Ordnung. Die Deutschen aber, permettez,
messieurs, seyn eigentlich eine unanständige Na=
tion, und darum seyn sie nit nutz zum Spek=
tafel."

„Erlauben Sie, Herr Marquis," rief hier
einer der jungen Schauspieler, „es gibt doch
auch Fälle in der Kunst, wo der Anstand höchst
unanständig wäre." Ein allgemeines Gelächter
erscholl. Einige von der Gesellschaft, welche ver=
sucht hatten, es dem Kunstkenner im Anfassen
des Glases und in zierlicher Stellung der Hand
gleich zu machen, setzten jetzt die Gläser hin,
und wandten sich gegen den kühnen Redner.
Der Franzose machte eine sehr ernsthafte Miene,
und sagte: „Comment? c'est impossible!"

„Sehr möglich," nahm der Sprecher wie=
der das Wort, „wenn der Anstand gegen Na=
tur und Wahrheit streitet, so muß der Schau=
spieler ihn aufgeben, um den letztern zu folgen.
Kann nicht zum Beispiel der Fall gedacht wer=
den, daß der Dichter einen Charakter zeigen
wolle, der aller Gesetze des sogenannten An=
standes spottet, der gleichsam im Unanständigen
excellirt? Hat man Gift bekommen, oder leidet
man an ganz ungewöhnlichen Passionen, so
kann man unmöglich ganz anständig sich ge=
berden."

Der Franzose wußte nicht, was er hierauf
erwiedern sollte; er begnügte sich, die Achseln zu
zucken und eine spöttische Miene zu machen.
Mylius drängte sich jetzt an den Tisch und
rief: „Meine Herrn, der Streit ist unnütz!
Was ist am Ende anständig, was unanständig,
hat Jemand schon den Unterschied herausge=
bracht? Ich zweifle; es sind leere Worte, ohne
Begriffe, oder vielmehr die Begriffe sind von
Anbeginn der Welt immerdar verwechselt wor=
den. Viele z. B. würden es höchst unanständig
finden, daß wir hier so vielen Punsch trinken,
und so laut zanken; ja man könnte behaupten,
wir seyen höchst unanständig geworden, indem
wir uns über den Anstand streiten, und die

befte Definition des Anftandes fey, wenn wir
aufhörten, über ihn zu zanken.“

Ein noch ftärferes Gelächter erfcholl, und
Einige machten leife den Vorfchlag, auf die Er=
hebung der Unanftändigkeit die Gläfer anzufto=
ßen und zu leeren. Der Redner fuhr fort:
„Was die Franzofen betrifft, fo muß man ih=
nen den Ruhm laffen, daß fie überall wiffen
mit Anftand unanftändig zu feyn, indeß die gu=
ten Deutfchen von jeher unanftändig anftändig
gewefen find. Doch um wieder auf die Bühne
und die dramatifche Kunft zurückzukommen, fo
fcheint mir das vollendetfte Kunftwerk das zu
feyn, welches bei den Zufchauern die meifte
Langeweile verurfacht.“ Der Franzofe nahm eine
Prife, fchlug die Dofe heftig zu, und rief:
„Ah ciel! was Neues.“

„Nichts natürlicher,“ entgegnete Mylius,
„das Lachen wie die Thräne find nur niedere
Funktionen des thierifchen Menfchen. Die
Kunft, welche fich damit abgibt, bloß diefe in
Thätigkeit zu feten, fteht natürlich auch auf ei=
ner geringen Stufe; fie leiftet nichts mehr, als
was taufend gerinfügige Anläffe des gemeinen
Lebens leiften. Je inniger ein Dichter aber von
feinem großen Berufe durchdrungen ift, defto mehr
wird er diefe grobfinnlichen Opfer für feine Mufe
verfchmähen, er wird höher und höher ftreben

und nicht eher sich befriedigt fühlen, bis er jene
Glanzhöhe seiner Kunst erreicht hat, deren Ele=
mente in einer langweiligen Andacht, oder in
einer andächtigen Langeweile bestehen. Die Ein=
geweihten verstehen mich! Allein diese leuch=
tende Region zu erstreben, ist nicht leicht. Ein
Kunstwerk, das sich ihr nähern will, muß un=
ter andern Tugenden besonders eine gewisse
trübe Unverständlichkeit, eine mysteriöse Unbe=
deutenheit, eine vornehme Gelehrsamkeit sich
aneignen. Es muß stets mit einem gewissen
Etwas versehen seyn, das schwer zu beschreiben
ist, welches jedoch immer daran erkannt wird,
daß man sogleich bei seiner Annäherung die
gründlichste Langeweile empfindet; eine Lange=
weile, die aber so edel und vornehm ist, daß
ein nur irgend ästhetisch Gebildeter oder Kunst=
mensch um's Himmelswillen kein so langweili=
ges Stück für das belustigendste hingibt. Das
ist, Freunde, die göttliche Ruhe, und wenn
es uns gelingt, ein ganzes Publikum so gött=
lich zur Ruhe zu bringen, so hat unsere Kunst
den Gipfel ihrer Bestimmung erreicht. Die
Franzosen, wie in allen Dingen, können auch
hier uns die besten Muster liefern."

Der Kritiker, welcher zweifelhaft war,
welche Deutung er der ganzen Rede geben
sollte, fand sich durch den Schluß derselben

ebenso befriedigt als geschmeichelt. „Il n'y a pas de doute," rief er, „meine Nation ist unique, was betrifft die Kunst. Alle diese Wun=der thut bewirken der Anstand. Es gibt große Exempel hierin. Le célèbre Bertier wurde verbannt und bestraft, weil er gewagt, vor die König und die ganze Hof den Tyran Neron zu spielen, ohne Galanterie=Degen und weiße Handschuh."

„Fürchterlich!" rief Mylius, „wahrhaft gräßlich), und dennoch muß ich jenen großen Künstler loben. Der Zug ist grell, aber wahr. Welch ein sprechenderes Merkmal seiner boden=losen Verderbtheit konnte dieser Wüthrich wohl geben? Daß er Rom verbrennen ließ, die Er=mordung seiner eigenen Familie kaltblütig anbe=fahl, zahllose Verbrechen auf sein Haupt häufte, kann in den Augen der Zuschauer sein Bild nicht so verzerren, als jene weggelassenen Hand=schuhe es thun. Nun erscheint er ganz als Scheusal, als über alle Grenzen des Menschli=chen sich hinaus verirrendes Ungethüm, dem nichts heilig, nichts mehr ehrwürdig ist."

Ein Theil der Anwesenden lachte, ein an=derer beobachtete die Mienen des Marquis, um nach seiner Theilnahme oder Abneigung an die=sen Worten ihr Betragen einzurichten. Ma=dame Golzig, die die Aufmerksamkeit wiederum

auf sich und ihre nächsten Angelegenheiten len=
ken wollte, rief jetzt: „Was mich betrifft, gebe
ich den jungen Ankömmlingen unbedingt mei=
nen Beifall; sie sind beide von gutem Aeußern,
wohl gebaut, und scheinen, was ihre Conduite
betrifft, Kinder rechtlicher Eltern zu seyn. Der
Eine ist sogar von einer so saubern Niedlichkeit,
daß er der Mademoiselle dort bei der Probe
nicht einmal einen Kuß geben wollte; doch so
etwas empfiehlt. Ihr Spiel betreffend, mag das
Publikum entscheiden.“ — „Ja, ja, das Publi=
kum,“ riefen alle, „das Publikum hat die letzte
Stimme!“

„Ich habe,“ setzte Madame Golzig ihre
Rede fort, „jetzt noch einen wichtigen Gegen=
stand Ihnen, meine Anwesende, vorzulegen.
Es ist die Klage entstanden, daß ich zu viel
ernsthafte Historien zur Aufführung bringe.
Die vielen Staatsgeschäfte, der nahe Krieg, und
die große Besorglichkeit überhaupt machen, daß
die Leute heut zu Tage ernsthafter sind, als sie
es jemals waren. Wer in die Comödie geht,
will darum nicht wieder ähnliches Herzeleid,
sondern Lust und Lachen finden. In Betreff
dieser Anforderungen sind denn auch die beiden
neuen Akteure verschrieben, sie können singen
und tanzen; der eine sogar will auf dem Seil
Künste machen, wenn's erforderlich ist. Nun

aber fehlen mir wieder die gehörigen Poſſen
und Liederſpiele. Ich habe ſchon mancherlei
Plane und Gedanken mir gemacht. Auf meine
Bitten ſchickte mir mein Correſpondent aus
Hamburg etliche von ſolchen curioſen ſingenden
Comödien, die alleſammt ſehr ſchöne Titel ha=
ben; freilich ſind ſie nicht mehr ganz neu, doch
ließe ſich mit ein paar Aenderungen gewiß das
Trefflichſte daraus machen. Leſen Sie, Herr
Mylius.‟

Der junge Mann ergriff das Blatt, und
trug der Geſellſchaft folgende Titel vor: „Der
aus Hyperboreen nach Cimbrien überbrachte
güldene Apfel, ein allegoriſches Triumphſpiel
mit Tanz= und Singbeluſtigung. Der geſtürzte
und wieder erhöhte Nebucadnezar, eine Tragödie
mit Tanz. Die große römiſche Unruhe, oder
die edelmüthige Octavia, eine mit Tanz ausge=
ſchmückte Hiſtorie. Der angenehme Betrug,
oder das Carneval zu Venedig.‟ — Der Leſer
hielt inne, und man fing an, ſich über dieſe
Bühnenſtücke zu beſprechen, als in dem Mo=
ment die Saalthür aufflog: bei einigen ſtar=
ken Wetterſchlägen trat ein junger blühender
und erhitzter Offizier hinein, am Arm eine
Theaterſchöne, die mit zum Congreß gehörte, je=
doch vorgab, ſich bei einer Freundin verſpätet zu
haben. Sie ließ ſich von ihrem Begleiter den

5

Mantel abnehmen, und hörte mit freundlichem
Lächeln auf die Artigkeiten, welche ihr der
Marquis über den Tisch hinüber ziemlich laut
zuflüsterte. Ein paar Schauspieler machten eben
so laute Bemerkungen über den neuen Hals=
schmuck der Schönen. Der Offizier näherte sich
der Madame Solzig, und rief: „Ob es nicht jetzt
Zeit sey, die Karten tanzen zu lassen; für ein
treffliches Soupé später habe er schon gesorgt.“
Bei diesem Antrage erhoben sich mehrere so=
gleich, und schlichen leise, nach ihren Hüten
greifend, fort. Die andern rückten die Tische
näher zusammen, schloßen die Fensterläden, und
der Lieutenant ergriff die Karten, um Bank zu
halten. Eine tiefe Stille trat ein, und die vie=
len vom Wein glühenden rothen Gesichter blick=
ten, wie mit Zauber gebannt, auf die Blätter,
die unter den Händen des Offiziers ihre omi=
nösen Zahlen zeigten.

Lessing hatte sich schon beim Beginne jenes
nutzlosen Streites aus dem Zimmer entfernt,
und stand jetzt, in Träume versenkt, unter ei=
nem breitblättrigen Kastanienbaum; ihn störte
der verworrene Lärm aus dem Hause nicht,
wohl aber fuhr er jetzt auf, als er sich von ei=
nem weichen Arm umschlungen fühlte, und ge=
wahr wurde, daß Sabine neben ihm stand.
Der Blick ihres Auges schien durch die

Dunkelheit in das seinige zu bringen. Eine
Pause verging, dann stieß sie mit einem schmerz=
lichen Seufzer die Worte aus: „Ephraim, Du
bist mir untreu!" Sie weinte jetzt auf das hef=
tigste, und der Jüngling bog sich zu ihr herab.
„Wunderliches Mädchen," rief er, „weßhalb
glaubst Du das? Doch," setzte er schnell hinzu,
„glaube es nur immerhin, Du mußt jetzt er=
fahren, daß wir uns nicht mehr wiedersehen
werden, obgleich in Einer Stadt mit Dir woh=
nend, werde ich sowohl Dich als Deine Gesell=
schaft geflissentlich vermeiden." Sie weinte im=
mer heftiger, und er bog seinen Arm um ihren
Leib. „Weine nicht," rief er mit weicher
Stimme, „ist es nicht besser, daß sich ein Band
schnell und unverzüglich löst, so lange es noch
schwach und leicht ist? Wir wollen beide ein
besseres edleres Ziel uns vorsetzen." Sie schlang
ihren Arm um seinen Hals. „Ich weiß nicht,
was Du willst, Ephraim! ich weiß nicht, was edel
oder verwerflich, was Tugend oder Verbrechen
ist, Du bist mein Eines und Alles; wenn Dein
Auge mir lächelt, so bin ich gut, fliehst Du
mich, so könnte ich morden." — „Fürchterlich!"
rief der Jüngling bewegt, „armes, verwahrlos=
tes Mädchen, wie soll ich Dir helfen?" —
„Horch, wie der Donner schmettert," unterbrach
sie seine Worte; „tausend Menschenherzen

zittern jetzt in Furcht und Aengsten, ich kenne
keine Gefahr. Ich habe über der Erde wie auf
ihr nur Dich allein, Ephraim! Wenn der
Blitz uns jetzt hinwegnähme, wenn er, indem
sein Strahl dieses Herz durchbohrt, zugleich die
Qual endete, die darin verschlossen, die Qual,
Geliebter, daß Du nicht mehr mein bist, so
wäre mir auf immer geholfen." Sie schwieg,
und auf's neue rannen ihre Thränen. „Du
schwärmst," hub er mit ernster Stimme wieder
an; „uns soll der Blitz tödten, und was hät=
ten wir dann mit einander zu schaffen?" Das
Mädchen zuckte krampfhaft zusammen. „Was
wir mit einander zu schaffen haben?" erwie=
derte sie mit einem seltsam stockenden Ton, „das
will ich Dir sagen." Sie hob sich auf die Fuß=
spitzen bis zum Ohr des Jünglings, und
zischelte schnell und leise einige Worte hinein.
Heftiger rauschten die Gipfel der Bäume, wie=
derholte Donnerschläge ließen sich hören. „Jetzt
weißt Du es," rief sie, indem sie krampfhaft
seine Hand drückte, und mit einem Sprunge
in die Dunkelheit verschwand. Einsam schlich
Ephraim aus dem Garten durch die leergewor=
denen Gassen seinem Hause zu.

Mylius unterließ nicht, seinen Freund auf=
zusuchen; wenige Tage nach dem obigen traf
er ihn auf einem Spaziergange, und schloß sich
ihm ohne weiteres an. Es war Abend, der
aufsteigende Mond begann schon seine Herr=
schaft in den schärferen Schattenlinien, die Ge=
büsch und Häuser warfen, zu zeigen. Der junge
Philosoph fühlte sich eben so ausgelassen mun=
ter, als sein Freund nachdenklich und verzwei=
felnd; er brachte viele Scherze und Späße vor,
auf die jener wenig oder verstimmt antwortete.
Endlich rief der Ungeduldige nach einer Pause
fast zornig: „Was ist Ihnen denn, verehrter
Dichter, Sie sind ja langweilig wie eine fran=
zösische Tragödie!" Er bereute diese Worte,
und indem er den Freund mit einer stürmischen
Bewegung an sich schloß, setzte er hinzu: „Nein,
keinen Vorwurf! mir ahnet, daß Sie in einer
wohlthätigen Crisis begriffen sind, und da darf
man den Kranken am wenigsten in seiner Ruhe
stören." — „Es ist wirklich so, wie Du sagst,"
entgegnete Lessing, „und wenn Du nicht so
leichtsinnig wärest, immerdar jedes ernste Nach=
denken von Dir wiesest —" — „Wer sagt Dir
das?" unterbrach der Philosoph seinen Freund.
„Ich dem Ernst und dem Nachdenken entgehen?
welche Anschuldigung! Ist denn mein Lachen
und Spott weniger Ernst?" Er faßte die Hand

des Freundes und rief: „Sieh', es ist so ruhig
um uns her, wie matte Fliegen sind sie alle
von ihrer langweiligen Wand herabgefallen,
das summt, das schwirrt, das sticht und be=
schmutzt nicht mehr; jetzt läßt sich's wieder in
dieser Stadt leben, jetzt wird es mit einemmal
kühl, frei und luftig! Oben steht mit dem kla=
ren Mond an der gedankenvollen Stirn die
alte Nacht; die Stille, der Gott großer Seelen,
läßt sich sanft auf die Erde nieder, und wie ein
großes Kapitel der Weltgeschichte liegt eine feier=
liche Stunde vor uns. Das volle schöne Be=
wußtseyn solcher Stunden, würde ich, wenn ich
ein Mädchen an meiner Seite hätte, am schön=
sten durch einen Kuß aussprechen; auch die
Freundschaft hat ihre Schäferstunden, wie die
Liebe, nur daß sich hier die Geister küssen, durch
leuchtende Gedanken, große Ideen küssen; laß
uns jetzt eine solche Schäferstunde feiern."

„Du kannst, wenn Du willst," entgegnete
Lessing, „auch gefühlvoll und herzlich seyn."

„Es ist mein Ernst," rief Mylius, „ach
Freund, wir verstehen uns beide. In dem gro=
ßen schlafenden Berlin sind wir die einzigen
vielleicht, die da wachen und fühlen. Sieh, so wie
wir einträchtiglich jetzt mit einander wandern, so,
sagt mir eine innere Stimme, werden wir auch,
zwei vereinte große Geister, durch kommende

Geschlechter schreiten: Du ein Dichter, ich ein
Philosoph. Lessing! bei dem stillen mitternächt=
lichen Antlitz dort oben, das keinen großen Ge=
danken kleinlich verräth, Freund, bei all den
Geisteraugen, die dort aus fernen Welten auf
uns niederschauen, laß uns rüstig auf der er=
wählten Bahn fortschreiten, laß uns berühmt,
laß uns groß werden!"

Lessing drückte mit Feuer die dargebotene
Hand. „Gewiß," rief er, „erfüllen wir unsere
Bestimmung, wenn wir fest dabei beharren
der innern Stimme zu folgen; sie ist es, die,
wenn wir die Wahrheit suchen, uns immer am
sichersten leitet."

Mylius veränderte schnell Ausdruck und
Stimme; Spott und Unwille glitt über sein
Antlitz, und er rief mit einem boshaften La=
chen: „Ich belustige mich manchmal etwas
Albernes zu behaupten, und könnte mich todt
lachen, wenn ich sehe, daß es immer noch Fische
gibt, die an die Angel beißen, obgleich recht
sichtlich nur ein elender Wurm an derselben
zappelt. Nein, dem Himmel sey Dank, derglei=
chen Träume habe ich ausgeträumt. Unsterb=
lichkeit, Wahrheit, überirdischer Dichterruhm!
Liebster Freund, lassen Sie uns nur unsere
Schulden bezahlen, machen Sie, daß Sie Ih=
rem Herrn Vater im Predigtamte folgen. Ich

heirathe die dicke Haushälterin des Profeſſors,
ſie hat einiges Geld, wir richten uns ein, und
leben dann als ehrſame anſtändige Berliner,
die keine Unſterblichkeit nöthig haben."

Leſſing warf einen zürnenden Blick auf
den Sprecher. „Ja, ja," fuhr dieſer fort, „wie
kannſt Du nur glauben, mit den Deutſchen,
und beſonders mit dieſen Berlinern, ließe ſich
irgend etwas anfangen? Beginne nur gar nicht
das Werk, denn all Deine Mühe, Deine An=
ſtrengung wird dennoch vergebens ſeyn. Hier,
wo Gottſched, der gekrönte Poet iſt, wo Hage=
dorn und Gellert bewundert werden, willſt Du
eine neue Schule gründen? Den Haß, die Ver=
folgung — ja ſelbſt die Verachtung, die auf
deutſcher Sprache und Kunſt liegt, in der ein
großer König ſelbſt das Beiſpiel gibt, willſt
Du, Einzelner, bekämpfen? Thorheit! Und biſt
Du denn wirklich ſelbſt ein Dichter? Ein gutes
Theaterſtück, das Du halb und halb überſetzt
haſt, entſcheidet herzlich wenig, Deine Verſe ſind
am Ende auch keine Meiſterſtücke."

„Wie bedaure ich Dich," rief Leſſing
ſchmerzlich, „Deine Zweifel und Dein Spott
werden Dich noch innerlich zernichten. Gefliſ=
ſentlich rufſt Du den Glauben an Edles, Treff=
liches und Schönes hervor, um dann das

köstliche Gut langsam und in Qualen vom Spotte zerreißen zu lassen."

„Ja," entgegnete Mylius, „der Spott ist meine Gottheit. Es ist doch in der Erscheinung etwas Kräftiges, Wahres! Ist irgend eine Eigenschaft im Menschen unsterblich, so ist es der Spott; er ist der ewig stolze lachende Gebieter, vor dessen Antlitz die Creatur flieht, er ist's, der uns den Herrscherstab in die Hand gibt über diese elende Welt. Es gibt keine Größe ohne Ueberlegenheit, keine Ueberlegenheit ohne Spott. Durch Spott nehme ich jedem Stachel des Mißgeschicks seine Spitze. Ueber alles geht das Ergötzen, ein treuherziges Gemüth, so recht warm in Glauben und Zuversicht hineinzusprechen, um ihm dann die Binde abzunehmen."

Lessing sah seinen Freund aufmerksam und nicht ohne Rührung an. „Du weißt," sagte er nach einer Pause, „daß ich hierin nicht mit Dir gleicher Meinung bin. Auch Dir ist es mit diesen Gesinnungen, im Grunde genommen, nicht Ernst; Dein Gemüth ist weich, Dein Sinn nicht ohne Wohlwollen, dennoch verschließest Du diese Schätze, um, statt anzuziehen und zu fesseln, zurückzustoßen und zu beleidigen. Da wir die Welt nicht entbehren können, so müssen wir durch Liebe sie gleichsam erobern."

„Wie?" rief Mylius aufgebracht, „im
Ernste also willst Du Dich der Thorheit, dem
Unverstand, der Gemeinheit und dem dummen
Dünkel als Beute dahin geben?"

„Nicht dieses ist damit gemeint; ein Kampf
muß überall stattfinden. Ehe wir auf unsere
Weise wirkend eintreten können, müssen viele
Hindernisse beseitigt, neue Bahnen gebrochen
werden; weßhalb aber nun diese nothwendigen
Kämpfe sich ohne Grund noch schwerer machen,
als sie ohnedieß sind? Die Thorheiten, gegen
die wir zu Felde ziehen, sind ein altes Erbstück
der Menschheit, wir sehen es überall hin ausge=
theilt, uns selbst nicht ausgeschlossen. Wenn
wir nicht mit Absicht das Gehässige aufsuchen,
so wird es uns bald gelingen, jene Gebrechen
von dem mit ihnen behafteten Einzelwesen zu
trennen, und dieses werden wir dann mit Wohl=
wollen und Nachsicht betrachten können. Von
diesem Standpunkte aus gesehen, kann allein
die Satire, der Spott im allgemeinen von Nu=
ßen seyn; er wird die Wahrheit an's Licht för=
dern, ohne daß wir dabei uns und unsre ge=
sellschaftliche Stellung ihm zum Opfer bringen."

„Genug des Streites!" rief Mylius eifrig,
„wir beide bekehren einander doch nicht, und
bleiben nun einmal wie wir sind. Es ist mir
auch mit allem, was ich da gesprochen habe,

durchaus nicht Ernst gewesen, der Mond ist an
allem Schuld; so wie er mit seinem wunderli=
chen Planeten=Antlitz das alte Meer zu Zeiten
aufrüttelt, daß es wie wahnsinnig ebbt und
fluthet, so bringt er auch in einem Menschen=
kinde, das sich ihm aussetzt, den ganzen Schatz
von Redensarten und Betrachtungen in eine
leichtfertige Bewegung. Glaube nur immer,
daß ich das beste Herz habe gegen Dich; zu Lie=
benswerthen hab' ich's auch allerdings. Und
nun laß uns einmal zur Abwechslung über diese
Kirchhofmauer voltigiren. Hast Du nicht be=
merkt, daß, während wir die tiefsinnigsten Dinge
besprachen, ein paar allerliebste Schwarzmäntel,
vom Diener gefolgt, an uns vorüber trippelten,
sie verloren sich über den leeren Platz herüber,
in jenes Häuschen des Kirchhofwächters. Bei
dem Alten können sie unmöglich etwas zu schaf=
fen haben; gib acht, die Fledermäuse suchen im
Geheim und in der Stille der Nacht die vor
wenigen Wochen angekommene Kaffee=Prophetin
auf, von welcher man Wunderdinge erzählt."

Lessing, an die seltsame Weise des jungen
lebhaften Philosophen gewöhnt, zwang sich, auf
diese neue Grille einzugehen; er zeigte nur die
Unmöglichkeit, Zeuge von den Verhandlungen
der Prophetin mit ihrem Besuch seyn zu
können.

„Nichts leichter, als das," rief Mylius,
„sind wir nur erst über die nicht hohe Mauer
herüber, so kenne ich im Hof schon die Wege
und Schliche; der alte Wächter hat eine hübsche
Nichte im Hause, bei der wir, wenn die Unter=
nehmung scheitert, Schutz suchen können."

Die tiefe Stille, die auf dem Platz und
auf der ganzen Umgegend lag, der helle Mond=
schein ringsum, der auf dem Häuschen, der
Mauer und dem weiten Kirchhof gleich Tages=
helle niederglänzte, und endlich das geheimniß=
volle Werk, welches sich innerhalb der Mauern
der kleinen Wohnung zubereitete, lockte die bei=
den Jünglinge mächtig an. Mit ein paar
Sprüngen war das Hinderniß der Mauer be=
seitigt, und sie standen nun in Mitte der Grä=
ber und Monumente. Von einem derselben,
dessen ziemlich hoch gelegene Platte sie erstiegen,
bot sich nun eine freie Aussicht auf das erhellte
Fenster, und durch dasselbe auf das Innere ei=
nes niedrigen Stübchens. Lessings Theilnahme
an dem Wagestück wurde, da sie anfangs nur
erzwungen war, jetzt auf das lebhafteste rege,
da er im Hof an der Thüre, gleichsam als
Wache ausgestellt, den alten Christian erkannte,
der sich an den Pfosten lehnte und ruhig hin=
auf in den Mond blickte. In der Stube
drinnen sah man die Prophetin beschäftigt,

verschiedenes Geräthe herbeizubringen; ein Tisch
stand nicht weit vom Fenster, an demselben
rechts hatten die beiden Damen Platz genom=
men. Die eine, es war Leopoldinens zierliche
Gestalt, lag in den Stuhl zurückgelehnt, der
schwarze Spitzenschleier verdeckte das Antlitz;
die andere, wie es schien, eine ältliche Dame,
war beiden Lauschern fremd, auch sie war sorg=
fältig verschleiert. Christian, was Lessing jetzt
erst bemerkte, steckte in einer fremden Livrei.

Bald war der Tisch mit Kartenblättern be=
legt, zugleich dampfte ein Kessel nebenbei; ein
großer schwarzer Kater, sich oben auf dem Stuhl
der Alten zeigend, blickte mit feurigen Augen
herab. Die ältliche Dame hatte sich erhoben,
aufgestützt bog sie sich herüber, um der Lage
der bunten Blätter besser folgen zu können;
ein blitzendes Ohrgehänge wurde sichtbar, indem
es, so nahe der Kerze, leuchtende Farben schoß.
Leopoldine lag dagegen ruhig in ihrem Arm=
stuhl, sie spielte mit dem Fächer und schien
Langeweile zu haben. Christians Profil zeich=
nete sich, vom Monde beschienen, riesengroß auf
der hellen Wand ab. Kein Laut ward rege;
der schöne malerische Effekt des wunderbaren
frischen Bildes, die magische Einfassung, die die
Schatten der Nacht, die einsamen Gräber um=
her, so wie das weiße Licht der Leichensteine

bildeten, nichts hievon entging den beiden nächt=
lichen Lauschern, die sich gegenseitig durch stille
Winke ihr Interesse, das sie an der stillen
Verhandlung nahmen, mittheilten. Endlich ver=
änderte sich die Gruppe im Zimmer; es hatte
den Anschein, als seyen die Schicksalswürfel
günstig gefallen, denn in dem Moment erhob
sich die Alte aus ihrem Stuhl, scharrte mit den
langen dürren Fingern die bunten Blätter zu=
sammen; die Dame, ihr gegenüber, zog ein
Beutelchen hervor; es blinkten Goldstücke, die
gierig aufgefangen und eingesteckt wurden. Der
Kater sprang herab, die Prophetin ergriff das
Licht, um ihren vornehmen Gästen zu leuchten,
und man hörte von innen „Christian" rufen.
Dieser schüttelte sich den Schlaf vom Leibe, und
sprang hastig hinein; das Zimmer wurde dun=
kel, Thüren gingen, und nach einer ziemlichen
Weile trat die Alte mit dem Licht allein wieder
ein, und setzte es auf den leergewordenen
Tisch.

Mylius erhob sich aus seiner gebückten
Stellung, und rief: „Das sind nun also die
Früchte der Aufklärung und Philosophie, in de=
nen ein so großer König sich die Mühe gibt,
seiner Residenz voranzugehen. Zu Kaffee=Ora=
keln, zu elenden Kartenschlägerinnen schleichen
sie, diese stolzen Schönen, die am Tage in

ihren Salons die tönenden Sprüche aller sieben
Weisen Griechenlands im Munde führen."

„Still!" rief Lessing, indem er den Freund
zu sich niederzog, „so sieh' doch, wie seltsam sich
eben die Scene verändert hat."

Man erblickte die Alte gleichsam im Kampf
mit einer Gestalt im Mantel, welche lebhaft auf
sie eindrang; es wurden so laute Worte ge=
wechselt, daß man sie herüber bis auf den Kirch=
hof hören konnte. Die Prophetin wehrte sich,
ihr Kater umsprang sie in engen Kreisen, das
niedrig stehende Licht warf wunderliche gau=
kelnde Schatten, und endlich trat seitwärts, wie
aus der Wand hervor, ein großer breitschultri=
ger Mann zwischen die Streitenden. Mit der
einen Hand hielt er die Alte fern, mit der an=
dern riß er ihrem Gegner den Mantel ab, und
es wurde jetzt ein schlanker Jüngling von blü=
hendem Aeußern sichtbar, dessen schöne Gesichts=
züge aber Zorn und Abscheu entstellten. Beide,
die Alte und ihr Bundesgenosse, fielen jetzt über
ihn her; ein Faustschlag des Jünglings warf
das Licht herab, das nun auf dem Boden fort=
brannte, die drei Gestalten rangen miteinander,
die Kaputze der Alten wurde herabgerissen, und
ihre grauen Haare flatterten auf den Rücken
nieder.

Mylius, der dergleichen Scenen leiden=
schaftlich liebte, ließ sich nicht länger abhalten,
im Drama eine Rolle mit zu übernehmen, er
stellte es zugleich seinem Gefährten als eine
Ehrensache vor, dem armen Verfolgten in der
Stube zu Hülfe zu kommen, so daß dieser nicht
länger widerstand, und beide näherten sich jetzt
vorsichtig dem Hause. Als die Streitenden von
außen Schritte vernahmen, stellten sie sogleich
alle Thätigkeit ein, und zogen sich, in der Mei=
nung, es nahe die Polizei, vorsichtig und in der
Stille zurück. Die beiden Jünglinge traten
ein, und ihr erster Blick fiel auf den, welchen
sie retten wollten, und der jetzt, wie es schien,
leblos auf einer Bank am Ofen lag. Die Alte
kniete neben ihm, die Hände ringend, indeß der
Kirchhofwächter, der sogleich Mylius erkannte,
auf diesen zutrat und ihn freundlich begrüßte.
Erst nach vielen Fragen und Erörterungen
wurde der ganze Zusammenhang des Ereignif=
ses deutlich. Der junge Mensch war ein Page
des Königs, er hatte die beiden Damen hier
aufgesucht, und als er sie nicht mehr gefunden,
die Alte zwingen wollen, zu gestehen, was für
Unterhandlungen sie mit jenen gepflogen. Auf
ihre Weigerung war nun der heftige Kampf
entstanden; eine geringe Verwundung am
Haupte, die, wie man glauben mußte, er sich

selber verursacht, brachte den Fall und die Ohn=
macht des jungen Helden zu wege.

Während des Streitens und Erzählens
hatte sich Lessing dem Pagen genähert, und in
dessen Zügen den Ausdruck der reinsten jugend=
lichen Schönheit gefunden. Ein junger Antinous,
in der Blüthe seiner reizenden Gestalt, wäre
nicht im Stande gewesen, mehr Mitleid und
Interesse einzuflößen, als der mit geschlossenen
Augen in Ohnmacht daliegende Jüngling. Er
wurde jetzt, da sich neue Besuche bei der Pro=
phetin meldeten, von den beiden Freunden und
dem Wächter in ein oberes Gemach getragen,
und daselbst auf ein Ruhebett niedergelegt. Der
Dichter ließ sich's nicht nehmen, bei ihm zu
wachen, und auf die ersten Zeichen der wieder=
kehrenden Besinnung zu lauschen; er hatte
sich von der Alten verschiedene einfache Heilmit=
tel geben lassen, die er nun, so gut es gehen
wollte, anwendete. Nach einer Weile öffnete
der Kranke die Augen, er blickte um sich und
schien nicht errathen zu können, wo er sich be=
finde. In leidenschaftlicher Heftigkeit fuhr er auf,
und rief: „Elendes, abscheuliches Weib! gestehe,
wozu hast Du ihnen gerathen, welche neue
Schändlichkeit soll vollführt werden!“ Lessing
ergriff seine Hand, die fieberhaft glühte, und
sagte mit sanfter Stimme: „Mein Herr, Sie

6

wiſſen nicht, wo Sie ſich befinden; die Alte, auf
welche Sie zürnen, iſt nicht gegenwärtig, auch
haben Sie ihr Unrecht gethan, gewiß kennt ſie
den Namen jener Damen nicht, die vor wenig
Minuten dieſes Haus verlaſſen haben.“ Der
Jüngling richtete ſich auf, und betrachtete mit
großen offenen Augen ſeinen Geſellſchafter.
„Und wer ſind Sie?“ fragte er nach einer
Pauſe. Der Dichter erklärte jetzt mit wenigen
Worten das Vergangene; es entſchlüpfte ihm
während ſeines Berichts der Name der Gräfin,
und ſogleich ergriff der Page ſeine beiden
Hände, indem er auf ſeine leidenſchaftliche Weiſe
rief: „Alſo Sie kennen die edle Familie, Sie
wiſſen, welch ein entſetzliches Unglück ihr ganz
nahe bevorſteht?“ Leſſing war erſchreckt und
heftig bewegt erwiederte er: „daß er von keiner
drohenden Gefahr wiſſe;“ er fragte, bat, be=
ſchwor ſeinen jungen Gefährten, doch dieſer
ſchüttelte ſchweigend das Haupt. „Wozu Sie,
mein Herr,“ entgegnete er endlich mit dumpfer
Stimme, „in ein Geheimniß einweihen, da wir
beide doch zu ſchwach ſind, dem drohenden Ver=
hängniſſe vorzubeugen. Nehmen Sie meinen
Dank für die Hülfe, die Sie mir gegen die
Hexen und Zauberer dieſer Mörderhöhle gelei=
ſtet haben; ich fühle mich vollkommen wohl, um
meinen Rückmarſch wieder anzutreten.“

Er nannte bei diesen Worten seinen Na=
men, und Lessing erfuhr, daß sein neuer Freund
aus einer der ersten Familien stammte. Beide
nahmen jetzt herzlich von einander Abschied, und
indeß jener Mantel und Degen zusammensuchte,
begleitete ihn der Zurückbleibende bis an die
kleine Stiege, die in den Hof und von dort
auf die Straße herableitete; er nahm ihm noch
das Versprechen ab, sich rücksichtlich seiner Ver=
wundung in acht zu nehmen, und blickte ihm
nach, bis die in Mantel gehüllte Gestalt um die
Ecke verschwand.

Rückkehrend suchte jetzt der Dichter seinen
philosophischen Freund auf; er fand ihn auf dem
Kirchhof in einem zärtlichen Zwiegespräch mit
der Nichte des Wächters, die sich hervorgemacht
hatte, um nach der Ursache des Lärms und
Gezänkes in dieser Nacht zu fragen. Die Pro=
phetin war mit ihren neuen Gästen auf das
eifrigste beschäftigt; als nun der Oheim kam,
um sein Mündel zurück ins Haus zu treiben,
verließen die beiden Freunde den Schauplatz so
wunderlicher Ereignisse, und wanderten der
Stadt zu. Auf dem Rückwege berichtete Lessing,
was mit dem Erkrankten sich ereignet hatte; er
konnte nicht aufhören, die Gestalt, die Schön=
heit des Gesichts und das einnehmende Wesen
des Pagen zu rühmen, so daß Mylius endlich

sagte: „Ich kenne Deine Weise hierin, ein je=
des neue Gesicht zieht Dich an, Du siehst tau=
send Dinge darin, die uns andern verschlossen
bleiben, und erhebst dergestalt eine ganz gewöhn=
liche Erscheinung zum Helden irgend eines in Dei=
nem Kopfe sich schon zubereitenden Drama's. Ich
habe dem Burschen weiter nichts angesehn, als
daß er ein Händelmacher ist, wie alle jene über=
müthigen Herrchen, die da wissen, wie sehr Sie
auf die Langmuth des Königs, dessen enfans
gâtés sie sind, rechnen dürfen.“

Bei ihrer Wohnung angelangt, trennten
sich beide. Mylius wollte noch den Dichter
überreden, der in diesen Tagen anzustellenden
Probe seines Schauspiels mit beizuwohnen, doch
dieser schlug es ihm rund ab. Ohnedieß mußte
er sich schon Vorwürfe machen, daß der Mutter
gegebene Versprechen nicht in dessen ganzem
Umfang erfüllt zu haben.

Die letzte Probe hatte zur Zufriedenheit
der Theaterfreunde und der Madame Golzig
statt gefunden und man ging jetzt an die Dar=
stellung des Werks. Es nahte sich der Tag,
wo auf den Brettern der Bühne zu Berlin

zum erstenmal Miß Sara Sampson erschien.
Der junge Dichter fühlte am Vorabende dieses
Tages die Fassung und Ruhe schwinden, welche
er bis jetzt behauptet hatte; vergeblich hielt er
seinen Vorsatz fest, weder auf den Tadel noch
auf das Lob der Menge enscheidendes Gewicht
zu legen; das Vatergefühl für das geliebte Kind
seiner Muse ließ ihn dennoch jetzt vor dem er=
stern zittern, und das andere herbeiwünschen.
Auch ohne sein Mylius gegebenes Wort hätte
er es dennoch nicht vermocht, im Schauspiele ge=
genwärtig zu seyn. Nach einem Besuche bei je=
nem vornehmen Gönner kehrte er also frühzei=
tig in sein einsames Zimmer zurück, und nahm
das Manuscript seines Drama's zur Hand.
Als die Stunde schlug, in der gewöhnlich das
Schauspiel seinen Anfang nahm, sah er ganze
Massen von Fußgängern sich seinem Hause vor=
bei, dem Theater zu, in Bewegung setzen. „Sie
gehen," sagte er bei sich, „mein Stück zu sehen.
Die lieben Gedanken und Bilder, die ich so
lange bei mir gehegt und gepflegt, die schöne
Saat, die in stillen Stunden mir hoffnungs=
reich keimte, sie gehen, sie jetzt einzuärndten.
Die Undankbaren, nicht einen Blick werfen sie
hinauf zu dem, der ihnen sein Liebstes und
Bestes dahingibt." Er konnte zürnen, als er
einen Wagen, in welchem eine lustige Gesellschaft

Platz genommen, dem Thore zufahren sah.
„Welche unpassende Zeit," grollte er bei sich,
„jetzt aufs Land, oder zu irgend einem langwei=
ligen Vergnügen zu fahren! Doch gewiß sind
es welche von jenen traurigen Geschöpfen, die
nur in dem gedankenlosesten Rausche ihr Ver=
gnügen finden, jede gehaltvollere ernstere Un=
terhaltung wie die Pest fliehen; mögen sie da=
hinfahren, sie würden auch auf der Bühne nichts
als ihre eigene Erbärmlichkeit sehen." Jetzt er=
blickte er einen Wagen herankommen, der we=
gen eines augenblicklichen Gedränges ein paar
Sekunden anhalten mußte; es waren Vor=
nehme, denn sie kamen spät. Unwillig über die
Verzögerung blickte eine Dame aus dem Fen=
ster, und Lessing erkannte Clarissen. Sein
Herz schlug freudig, jede Besorgniß wich. „Dem
Himmel sey Dank," rief er, „mein geliebtes
Kind wird nicht fremd einer fremden Menge
entgegentreten; sie ist im Schauspiel, ihrem zar=
ten Ohr, ihrem gebildeten Auge wird kein ed=
les Wort, keine schöne Beziehung entgehen.
O möchte sie empfinden, daß ihr Geist es war,
der mich umschwebte, als ich Sara's edle weib=
liche Züge entwarf. Er entfernte sich vom
Fenster, und blätterte in dem Manuscript:
„Jetzt!" rief er, „ist die Exposition vorüber.
die Scenen mit dem alten Sampson, Waitwell

und dem Gaſtwirth ſind da geweſen, das Jn=
tereſſe hebt an mit Mellefonts Erſcheinung, und
man erwartet Sara's Auftreten; die kleine Sa=
bine wird die Rolle verderben, ihr Herz weiß
nichts von einer Zärtlichkeit, die Adel mit Jn=
nigkeit verbindet, ſie ahnet nicht das Daſeyn
jenes zarten Seelen=Colorits, das, in alle Far=
ben der Leidenſchaften überſpielend, keine ent=
ſchieden annimmt; ſie wird meinen, alles
mit einem hausbackenen Unglücklichthun abzu=
machen."

Unwillig durch dieſe Betrachtungen ge=
macht, warf er das Manuſcript hin; die eintre=
tende Dämmerung hinderte ihn, ſeine Beobach=
tungen über die Fußgänger auf der Gaſſe fort=
zuſetzen. Die Stube wurde ihm zu eng, und
er entſchloß ſich herabzuſteigen. Unten ange=
langt, machte er einige Gänge, und gelangte un=
willkürlich in die Nähe des Theaters. Es war
unterdeß ſpät geworden, das Schauſpiel erreichte
ſein Ende, und aus den geöffneten Thüren des
Gebäudes drängte ſich jetzt die Flut der Zu=
ſchauer dem einſamen Wanderer entgegen, nicht
wiſſend, daß ſie dem Schöpfer ihres heutigen
Vergnügens ſo nahe waren. Wie gerne hätte
er ein Urtheil, eine Meinung gehört; doch die
wenigen Worte, die er erlauſchen konnte, ärger=
ten ihn, denn er hörte fragen: in welches

Gasthaus man gehen wollte, um zu Nacht zu
speisen. Zur Seite an der Mauer saß ein klei=
nes Mädchen an ihrem Korbe mit Früchten,
zu ihr trat jetzt der Dichter, um dem Strome
auszuweichen. Die Kleine wollte ihm die
Früchte, die er verlangte, nicht geben, indem
sie bemerkte: daß ihre Großmutter sogleich er=
scheinen werde, sie sey nur noch im Theater.
Alsbald zeigte sich die Matrone; sie schien ge=
rührt, und trocknete sich mit der Schürze die
Augen.

„Was ist Euch,“ rief Lessing, „warum
weint Ihr?“

„I Gott,“ erwiederte die Alte, „über das
dumme Zeug, was sie heute drinnen aufgeführt
haben; wenn die vornehmen Herrschaften so
viel Rührung zeigen, wie soll denn unsereins
sein Thränlein zurückhalten. Da hab' ich denn
auch mit meinen alten Augen tapfer mitge=
weint.“

„Ey, Alte, erzähle doch, wie war die Ge=
schichte?“

„Miserabel,“ entgegnete die Höckerin, „mit
einem Worte gesagt, aber so tugendhaft und
schön, wie ich noch nichts erlebt; ich habe viel
Unglück mit Männern gehabt, aber so ein ab=
scheulicher Galant, wie im Stücke einer vor=
kommt, ist mir noch nicht erschienen; ich würde

auch ganz anders mit ihm umgesprungen seyn, als das liebe sanfte Weibsbild es thut."

Der Dichter war entzückt über diese anspruchlose Kritik. Ehe die Alte wußte wie ihr geschah, hatte er einen Theil seiner Börse in ihre Hand ausgeleert, und war, ohne ihren Dank abzuwarten, in die Menge hinein verschwunden.

Kaum hatte er sein Zimmer wieder betreten, als Mylius mit einem freudeglühenden Gesichte herein und dem Freunde um den Hals stürzte. „Dein Stück hat gefallen, allgemein gefallen," rief er, „freue Dich!" — „Ich weiß es," erwiederte der Dichter; „aus einem Munde, der weder schmeichelt noch lügt, hab' ich's erfahren." — „Jetzt, da das Gewünschte sich erfüllt," fuhr der Philosoph in seiner Rede fort, „kann ich Dir wohl meine Zweifel entdecken, die ich am Gelingen hatte. Es ist ein Rausch, sag ich Dir, die guten Berliner werden frühzeitig wieder erwachen; der Himmel weiß, welch ein Wind ihnen diese neue Laune angeblasen; ein poetischer Schnupfen hat sie befallen, so daß sie für diesen Moment in der That im Stande sind, eine wirkliche Dichtung zu würdigen und sich an ihr zu erfreuen. Allein ich fürchte, ich fürchte, nur zu schnell wird sich die liebe Gesundheit wieder einstellen."

Der Spötter brachte jetzt zwei Flaschen Wein aus seinen Taschen, und setzte sie mit einem Triumphlächeln auf den Tisch. „Die gute Frau Golzig, die heute Abend wahrhaft kindisch vor Freude ist, bittet Dich in aller Demuth, diesen gläsernen Gesellen auf ihr Wohl den Hals zu brechen; sie wird auch morgen mit einer namhaften Geldrolle angerückt kommen, die du als das erste Honorar, das Dir der leidige Thespis=Karren zollt, nicht von Dir weisen darfst."

Lessing vernahm ungern diese Worte, die störend in seine Bilder und Träume eingriffen; er hätte gerne Einzelnes über die Darstellung, über die Zuschauer gehört, allein er mußte schon den Philosophen, der auf seine Weise jetzt polterte und lärmte, seinen Weg gehen lassen. Es wurden wunderliche phantastische Pläne für die Zukunft geschmiedet, neue überraschende Aussichten eröffnet, und zuletzt erschien dem Schwärmenden keine Schranke unübersteigbar. Der frische Jugendmuth, vom Glücke zum erstenmal entschieden angelächelt, erobert im Spiel die Welt, und trägt das Köstlichste als schnelle Beute davon. Ein Theil der Nacht war schon vergangen, als Mylius wieder fortstürmte und den Dichter seinen Träumen überließ.

Eine Gesellschaft beim Grafen Felix war
versammelt, und Lessing hatte zum erstenmal
eine Einladung erhalten, dort zu erscheinen.
Er war über dieses Ereigniß weniger erfreut
als verwundert; der Graf war ihm bekannt
als einer jener tonangebenden Großen der
Hauptstadt, die eine glänzende Erscheinung bil=
den, indem sie in ihrem Salon alle Geister, die
auf Rang, Ansehen und in Mode stehender
Bildung Anspruch machen können, vereinigen.
Seine Reichthümer, das Ansehen der Familie,
so wie Geist und Talent, hatten ihn frühe eine
wichtige Laufbahn antreten lassen. Er war Ge=
sandter an verschiedenen fremden Höfen gewesen,
und genoß gegenwärtig einer kurzen Ruhe, die
er den Musen und den Studien widmete. Der
nahe Krieg und die schlimmen Weissagungen,
mit denen die Politiker sich trugen, drohten je=
ner Ruhe bald ein Ziel zu setzen.

Als der Dichter sich nahte, trat ihm der
Graf entgegen; er zeigte eine hohe stolze Ge=
stalt, auf der freien Stirn Adel und Würde;
ein geistreiches Lächeln um den schöngeformten
Mund, sichere Leichtigkeit in jeder Bewegung.
Mit wenigen aber passenden Lobsprüchen er=
wähnte er des neuen Schauspiels, und stellte
den Jüngling der Gesellschaft als den Dichter
vor. Die Unterhaltung wurde durchgehends in

französischer Sprache geführt; unserm Lessing kam
hier lange Uebung zu statten, er bewegte sich
leicht und mit Anstand in den fremden Formen.
Da lästiger Zwang entfernt war, so ordnete
sich bald Jeder seinem gewählten Interesse zu.
Die Politiker traten zusammen; an den Karten=
tischen ließen sich ältliche Herren nieder; in ei=
nem entferntern Gemach wurde Musik gemacht;
aufmerksame Diener eilten mit Erfrischungen
durch die erleuchteten Säle.

Der Graf, Lessing und noch einige andere
Herren versammelten sich in einem Zimmer,
dem ein breiter Kamin Wärme und Freundlich=
keit verlieh. Man sprach über das neue Drama,
und der Graf nahm Gelegenheit, seine Ansich=
ten über die Bühnenkunst zu entwickeln. Der
magere gesprächige Marquis, der sich auch zu=
gegen befand, lobte jedes seiner Worte, und be=
klatschte lärmend die geäußerten Meinungen
und Urtheile. Der Dichter, der anfangs ruhig
hinhörte, wurde jetzt durch die Fragen des
Grafen mit in's Gespräch verflochten; er war
völlig entschlossen, sich so freimüthig, als es
schicklich war, zu äußern, um die Gelegenheit
zu nutzen, seine Erfahrungen und Ansichten
laut werden zu lassen. Zuerst mußte er wie=
derum dem Angriff auf deutsche Sprache und
Kunst begegnen.

„In der That," rief der Franzose, „es ist ein Wunder, daß ein deutsches Stück bei einem gebildeten Publikum Beifall gefunden."

„Wir leben in der Zeit der Wunder," entgegnete Lessing trocken.

„Wie meinen Sie das?" fragte der Graf.

Der Dichter fuhr mit Freimüthigkeit fort: „Ist der schnelle Wachsthum dieses noch jungen Königreichs, sind die glänzenden Eigenschaften seines Fürsten, die Europa staunen machen, und die nur wenige bei diesem Prinzen im Beginne seiner Laufbahn zu erwarten sich berechtigt glaubten, keine Wunder? Gränzen die überraschenden Erfolge der Forschungen berühmter Männer in jedem Fache des Wissens, die jetzt unser Vaterland zu den seinen zählt, nicht ebenfalls an's Wunderbare? Und darf bei allen diesen herrlichen Erscheinungen die Poesie nachbleiben? Soll sie sich nicht vielmehr auch erheben, da sie, um würdige Stoffe zu bearbeiten, nicht mehr nöthig hat, die Fremde zu plündern?"

„Sie sind ein eben so warmer Anwalt, als Sie ein geschickter Poet sind," rief der Graf mit Lächeln; „fahren Sie nur fort."

„Der Deutsche," nahm Lessing wieder das Wort, „hat über Nacht einen Schatz gefunden, er hat entdeckt, daß er auch eine eigenthümliche Sprache hat. Jahrhunderte lang hatten Thorheit

und Unverstand ihn nicht zu dieser Entdeckung
kommen laſſen, jetzt, da ſie gemacht iſt, wird er
ſie zu brauchen wiſſen. Dank ſey es unſerm
großen König, ſo abgeneigt er perſönlich ſeiner
Mutterſprache iſt, ſo mächtig wirkt er durch
ſeine glänzende Erſcheinung, ſie aus dem Staube
zu erheben. Den politiſchen Reformen folgt der
Krieg der Geiſter. Iſt es ihm doch gelungen,
die Aufmerkſamkeit Europas auf ſich und auf
ſeine an Umfang nur geringen Staaten zu len=
ken; lebt wohl ein Preuße, der in jenem ſtolzen
Bewußtſeyn es über ſich gewänne, ſich fremdem
Joch, fremder Willkühr unterworfen zu denken?
Zu dieſer Selbſtſtändigkeit iſt der kleine Staat
ſchon gediehen, die Thaten des nahen Krieges
werden ſie gewiß noch erhöhen, und die deutſchen
Gelehrten und Dichter ſollten, wiſſend, daß Eu=
ropa's Blicke auf ſie gerichtet ſind, ſich nicht zu
dem kühnſten Aufſchwunge ermächtigen? Doch
abgeſehen von den Beweggründen eines edlen
Patriotismus, iſt denn dieſe ſchöne Sprache ih=
rer ſelbſt wegen nicht würdig, daß wir uns um
ſie mühen, iſt's nicht perfider Undank, wenn
wir ſie um eine fremde vertauſchen? Sie, die
als erſter göttlicher Quell der Nahrung in un=
ſerer Seele die ſchlummernden Keime weckt, die
ihre friſchen Blumenblätter ſchützend um den kind=
lichen Geiſt ſchlägt, anfangs weich und biegſam

im Munde unserer Knaben und Mädchen,
dann sich kräftigend und ermannend, bis sie
von den Lippen des Dichters, gleich einem noch
unberührten Orgelspiel, zu göttlichen Psalmen
blühend emporweht, und in Andacht und Ent=
zückungen schwärmt. O deutsches Wort, so süß
und geistig wie der Traube Gold, ich werde es
noch erleben, dich geachtet und geliebt zu
sehen."

„Vielleicht erlebe auch ich es noch," nahm
der Graf das Wort, „in einer Zeit wie der
jetzigen kann viel und Großes geschehen. Es
ist überall schon ein Vortheil, wenn alte un=
brauchbare Formen abgeworfen, und neue pas=
sende angenommen werden, nur muß der Tausch
mit Kenntniß und Geschmack geschehen, es ist
dann gleichviel, ob politische oder blos intellec=
tuelle Kämpfe die Ursache hiezu hergegeben. Ich
table auch keineswegs, daß Sie ihr Drama in
deutscher Sprache abgefaßt; wenn ich überhaupt
tadeln dürfte und wollte, so bezöge sich mein
Tadel auf den Inhalt des Stücks: es will mir
nicht gefallen, daß es Verhältnisse aus dem ge=
wöhnlichen Leben schildert. Ich verkenne den
Werth solcher Genre=Stücke keineswegs, doch
soll die Tragödie, bestimmt in ihrem köstlichen
Rahmen ein großes, prächtiges, blendendes Ge=
mälde uns vor Augen zu stellen, sich damit

befaſſen, den engen Kreis kleiner bürgerlicher Ver=
hältniſſe aufzufaſſen und wieder zu geben? Was
kann dieſen, zwar guten und trefflichen, aber
durch ihre kümmerliche Stellung beſchränkten
Leuten Erhabenes oder Erſchütterndes begeg=
nen! Wie viel geſchickter wiſſen die großen
Meiſter der franzöſiſchen Schule ihre Stoffe zu
wählen. Genährt von griechiſcher Kunſt und
Schönheit, erleuchtet durch die herrlichen Ideen
dieſes größeſten aller Völker, tritt Corneille auf,
und wird, indem er Ariſtoteles Grundſätze gel=
tend macht, der Gründer der franzöſiſchen
Bühne. Dem Gedichte wird jetzt eine feſte Ge=
ſtalt, dem Verſe ein bleibendes Geſetz gegeben;
der ordnenden Regel unterworfen iſt jeder
Schritt des Mimen und alle Erſcheinungen un=
bedingt der Schönheit und Würde unterthan.
So hebt ſich vor den ſtaunenden Blicken, aus
anſcheinend niedrigen Stoffen geformt, ver=
edelt und geläutert, ein prangender Bau, bei
dem die künſtlich gefügten und geglätteten
Steine nicht die mindeſte Spur ihrer Zuſam=
menfügung zeigen. Racine wirft über dieſen
Bau die anmuthigſten Blumenketten feiner
Sitte, auch er beſſert und veredelt, bis Voltaire
endlich, die Geiſter ſeiner großen Vorgänger in
ſich vereinigend, jenen Wunderbau lichtvoll zu
dem herrlichſten Muſentempel erweitert. Jede

Tragödie dieses Meisters ist gleichsam für sich ein stolzer Portikus, hinter dessen schimmernden Säulen = Kolossen die prächtigen Gestalten der Heroenzeit in ihren königlichen Gewändern rauschend uns vorüber wandeln. Wir sehen Könige, Priester, Helden, mit dem ganzen Ge= schick ihres Hauses belastet, auf der stolzen aber ängstlichen Höhe, wohin ihnen staunend das Auge folgt, sich kämpfend bewegen; mit Schreck vernehmen wir, daß auch an ihre göttlichen Stirnen die Leidenschaft streift, daß auch sie dem Gesetze unterworfen sind, das alles Lebende erdrückt, und ihr erschütternder Fall endlich be= täubt und schlägt uns nieder. So sind, mein junger Freund, jene erhabenen Kunstwerke, warum strebten Sie nicht diesen Mustern nach? Weßhalb wählten Sie nicht einen Stoff aus der alten Geschichte? Ich bin überzeugt, bei Ihrem Talente hätten Sie etwas Ueberraschen= des, Treffliches leisten können."

„Ich bin nicht ganz der Meinung von Euer Hochgeboren," entgegnete Lessing ernst, „ich meine, daß der Mensch überall Mensch bleibe, und daß jener schmeichlerische Prunk größtentheils ein erlogener Flitterstaat ist. Wie unrichtig und übereilt Corneille den Aristoteles angewendet, wie oft er augenscheinlich die Grundsätze jenes Philosophen verdreht hat, will

7

ich hier nicht einmal auseinander ſetzen; es ge=
nüge mir die Worte eines Franzoſen ſelbſt an=
zuführen, um die Wahl meines Stoffes zu
rechtfertigen. Marmontel behauptet, daß man
dem menſchlichen Herzen Unrecht thut, daß man
die Natur verkennt, wenn man glaubt, daß ſie
Titel bedürfe, um uns zu bewegen und zu rüh=
ren; die geheiligten Namen des Freundes, des
Vaters, des Geliebten, des Gatten, des Soh=
nes, des Menſchen überhaupt, dieſe ſeyen pa=
thetiſcher als alle Titel, ſie mögen noch ſo pran=
gend klingen.“

„Hm,“ rief der Graf nach einer Pauſe,
„Marmontel ſowohl als Dacier ſind keine dra=
matiſchen Genies, ſie haben keine Vorſtellung
von den Erforderniſſen eines guten Bühnen=
ſtücks.“

„Le pauvre Marmontel!“ fügte der Mar=
quis achſelzuckend hinzu.

„Noch ſchärfer,“ fuhr Leſſing fort, „ſpricht
Diderot ſich gegen die bewunderten Muſter ſei=
ner Nation aus. In ſeinen Bijoux indiscrets
läßt er die ſchalkhafteſten Geiſter eines feinen
Spottes an dem koſtbaren Gerüſte rütteln, vor
dem das ſtaunende Europa ſich beugt. In ei=
nem Dialog zwiſchen einer witzigen ſchönen
Sultanin und ihren Freunden ſchildert er das
von aller Natur, Wahrheit und Einfachheit

entblößte Theater, zeigt mit lebendiger Farbe
den falschen Pomp, die überladene Rhetorik,
den lächerlichen Dünkel und die stolze Altklug=
heit in den großen Tragödien, und stürzt ihre
Meister von der eingebildeten Höhe ihres
Ruhms herab."

„Um an ihre Stelle seinen „„„natürlichen
Sohn"""" zu setzen," entgegnete der Graf, „ein
Stück, das eine langweilige matte Intrigue, mit
dem unwahrscheinlichsten Beiwerk aufgeputzt, in
einem pedantischen Geklingel von neumodischen
philosophischen Sentenzen dahinschleppt, und
durch das Diderot die Geißel Palissot's ver=
dientermaßen gegen sich in Bewegung setzte.
Freilich mußte dieser kleine Geist jene großen
Männer tadeln, um seiner Persönlichkeit Geltung
zu verschaffen. Doch, wird man ihm folgen?"

„Gewiß," nahm der Dichter das Wort,
„wenn es darauf ankommt, Wahrheit und Na=
tur wiederum in ihre Rechte einzusetzen."

„Ich erstaune," rief der Graf eifrig, „Sie
sind auf dem Wege, mein Freund, der deutschen
Kunst, die, wie Sie selbst gestehen, nur erst im
Werden ist, Ziel und Richtung zu geben;
wohlan, wo wollen Sie aber dann die Muster
hernehmen, wenn Sie jene große Schule des
Geschmacks und Genie's von sich stoßen? Der

Bühne welches Volks geben Sie dann den
Vorzug?"

„Die Engländer," entgegnete Leſſing, „ha=
ben uns große Muſter aufgeſtellt. Shak=
ſpeare iſt ein mächtiger Geiſt, von eben ſo viel
Tiefe als Kraft."

„Ah ciel!" rief der Marquis; „ce n'est
qu'un poète barbare!"

„Ich kenne einige Dramen dieſes Dich=
ters," ſagte der Graf; „während meines Auf=
enthalts in London hatte ich Gelegenheit, ſie
mit einem gelehrten Freunde zuſammen zu
durchleſen. Wir gingen nicht ohne Studium
an's Werk, es koſtete mich nicht wenig Zeit
und Mühe, ehe ich mir Bahn brach; doch am
Ziele meines Strebens angelangt, mußte ich
dennoch geſtehen, daß ich mich ohne ſonderlichen
Nutzen und Dank in ein Verwirrniß begeben.
Gewiß ſind es großartige, kühne, durch Schmuck
der lebendigſten Farben anziehende Gemälde,
allein ſie ſind auch, was Plan und Ausführung
betrifft, eben ſo keck, verwegen, als unklar und
ſeltſam. Ein wunderliches Gemiſch von Reich=
thum und Armuth, tiefer Weisheit und greller
Unwiſſenheit, kurz das Produkt eines unreifen
Talents, ſchmachtend in den Feſſeln eines dun=
keln Jahrhunderts, preisgegeben den Einflüſte=

rungen einer rohen, weder durch Studium
noch Geschmack geleiteten Naturgabe."

„Wie sehr," rief Lessing feurig, „achte ich
diese heilige Naturgabe, diesen angeborenen Se=
herblick, der in die Tiefen aller Erscheinung
bringt, gegen die hohlen Schattenbilder der Con=
venienz, gegen das Gesperre von Regel und
Sentenz. Möge man in Beurtheilung der
altklassischen Meisterwerke noch so verschiede=
ner Meinung seyn; zugeben muß man, daß
sie mit dem Leben, dem Charakter ihrer Zeit
auf das innigste verschmolzen waren, ja, daß
sie aus diesem Zusammenhange gerissen, ihre
wahre Würdigung und Größe nur unvoll=
kommen behaupten können. Was man zu uns
herüber bringen konnte und herüber gebracht
hat, waren die Formen: ein schönes Phantom,
dem das Leben fehlte. Die großen Tragiker
der Neuern fühlten dieses wohl, Corneille viel=
leicht am lebhaftesten; der Geist, den er jenem
fremden Gebilde einblies, war aber nicht der
Athemzug des gesunden Lebens, sondern die
parfümirte Hofluft, in der jene Dichter athme=
ten, wurde nun auch den Werken eingehaucht.
So entstanden jetzt die Zwittergeschöpfe, deren
Leib und Seele nicht zusammenpassen wollen,
die der allerneuesten und der ältesten Zeit zu=
gleich angehören, in deren polternden Reden die

Aufgeblasenheit mit der Schwäche coquettirt, und von deren Daseyn endlich Wahrheit und Poesie nichts wissen. Wie ganz anders gestaltete sich die Bühne jenes Nachbarvolks. In einer durch Religions = Meinungen gespaltenen, durch innere Kämpfe unruhigen Zeit entwickelte sich in Stille und Abgeschiedenheit ein mächtiger Geist; stürmisch wirft er sich in's Leben, erleidet und durchforscht Mannigfaltiges, drängt sich kühn aus dem Staube zum Thron, und hier entrollt er vor den Augen einer kunstgelehrten Fürstin die herrliche Folge der köstlichsten wundervollsten Gemälde, in denen jede Gestalt vom Boden, auf dem sie gewandelt, Farbe und Spur trägt. Des Volkes unverfälschte kräftige Laune, des Priesters verderbliche Schlauheit steht neben der Fürsten keckem Stolze und der Vasallen trotziger Unbeugsamkeit. Wechselnd zieht sich der Schöpfungen bunte magische Kette an unserm Auge vorüber, jede vollendet, bedeutungslos keine. Da ist weder hemmende Regel, noch hinderndes Gesetz; in sprudelnder Fülle quillt der unerschöpfte Born, ewig frisch, aus dem Busen des Dichters. Hat er dann vom wandelnden Zuge vergangener Geschlechter uns bedeutungsvolle Kunde gegeben, so schlägt er, um auszuruhen, das bunte Zelt der Fabel auf; dann bringen ihm die Geister die herrlichsten

verborgenen Schätze, ihr ganzes Füllhorn
schütten sie vor ihm aus, und eine neue Zau=
berwelt steigt schwindelnd auf vor unsern Bli=
cken. In diesen magischen Räumen treibt dann
das bunteste Maskenspiel sein neckisches Wesen;
doch durch die Melodieen treibender Lust, in
das ausgelassene Gespötte hinein, tönt das tiefe
sehnsüchtige Lied der Klage, haucht der glühende
Schmerz sein Leben aus, und das Entsetzen des
Wahnsinns spielt mit der unschuldigsten Kin=
deslust."

Der Graf hatte mit Theilnahme diese
Worte angehört; jetzt erwiederte er: „Sie be=
rühren, Verehrtester, gerade da einen Umstand,
den ich am wenigsten mit den Vorzügen Ihres
Dichters zu reimen weiß. Wozu jene grelle
Mischung des Höchsten und Niedrigsten? War=
um geflissentlich das Erhabene, Rührende neben
das Scurrile und Triviale gestellt? Führen
Sie mir nicht dagegen an, daß sich im Leben
auch beides verbinde; soll denn die Kunst das
Leben mit jener nackten Wahrheit wiedergeben,
wie die Maler jener Schule, die auf ihren
Gemälden die eckelhaftesten Verrichtungen uns
vor's Auge stellen? Ist die Kunst nicht gerade
deßhalb Kunst, weil sie uns die durcheinander
fluthenden Erscheinungen scheidet und gruppirt,
das Ungehörige entfernt, und das Auseinander=

gehende zusammenfaßt, mit einem Worte: die Natur veredelt?"

„Freilich!" rief der Dichter eifrig, „wenn wir diesen Grundsatz aufstellen, so ist jeder Streit beendet; von diesem Punkte aus erfolgt die Trennung beider Bühnen. So wie einzelne treffliche Köpfe der großen Nation jetzt schon bemerkt haben, daß man mit jenen Grundsätzen nicht weit gelangen kann, daß ihrer Bühne der eigentliche Nerv fehlt, so wird es nöthig seyn, daß thätige Freunde die erwachende junge Kunst bei uns Deutschen vor dem Gifte bewahren. Sind wir einmal dazu bestimmt, bei einem unserer Nachbarn in die Schule zu gehen, so mögen es die Britten seyn."

Der Marquis wandte sich unwillig und verächtlich weg, und der Graf sagte lächelnd: „So kommen wir denn wieder zu Ihrer Miß Sara Sampson zurück." Er erhob sich, und drückte dem jungen Poeten die Hand. „Es freut mich," setzte er hinzu, „daß Sie sich uns offen und frei mitgetheilt; kann ich Ihre Ansichten auch nicht theilen, so erkenne ich doch an, daß sie auf Ueberzeugung und Studium gegründet sind. Schenken Sie unserer Bühne mehrere so liebenswürdige Sara's, als die gestrige eine ist, und ich will nicht fragen, ob das Urbild über den Canal herüber oder aus der Hauptstadt des guten Geschmacks zu uns gelangt ist."

In dem Moment wurde es laut im Ne=benzimmer; zwei junge Herren sprangen herein, ein Duft von Ambra floß um sie, ihnen folgte ein nachläßig gekleideter Mann, bei dessen Er=scheinen sich der Graf mit Aufmerksamkeit hin=wandte.

„Theurer!" rief der lange Dürre, „was treiben Sie hier? man vermißt Sie drinnen; wenn Sie philosophiren, so lassen Sie mich daran Theil nehmen, das Spiel heute macht mir Nervenleiden." Er warf sich bei diesen Worten auf eines der am Kamine stehenden Tabourets, und suchte eine malerische Stellung anzunehmen, obgleich ihm dieses, bei den dür=ren langen Beinen, nicht recht gelingen wollte. Die beiden Ambra=Herren tänzelten unterdeß im Gemache umher, und einer zog den Vorhang von einem kleinen Gemälde; er brach in ein unmäßiges Gelächter aus, sein Gefährte, den er herbeiwinkte, stimmte darin ein; sie klapper=ten mit ihren Degen und goldenen Döschen, und blieben endlich vor dem Spiegel in einer Stellung aus der Menuett stehen. Der Graf stellte Lessingen dem Prinzen vor, der ihm huldvoll zunickte. Nach einer kleinen Pause fragte er auf Deutsch: „Hat Er etwas bei sich?

so lese Er vor." Ohne die Antwort abzuwar=
ten, wandte er sich wieder zum Grafen, und
setzte das französische Gespräch mit diesem fort.
Die Diener kamen mit der Meldung, daß das
Soupé servirt sey. In den Nebenzimmern erhob
man sich, die Spielmarken klapperten, die Am=
braherren zogen sich bescheiden zurück, und der
Prinz flatterte mit kleinen Schritten am Arm
des Grafen aus dem Zimmer. Alles ließ sich
jetzt um die mit Wein und Speisen überfüllte
Tafel nieder. Lessings Platz war unten, und
es fand sich, daß ein corpulenter Landedelmann,
der eines Geschäfts wegen auf ein paar Tage in
die Residenz gekommen, und sich ziemlich unwohl
in der eleganten Gesellschaft seiner Standesge=
nossen fühlte, sein Nachbar wurde. Der Dich=
ter knüpfte mit ihm ein Gespräch an, und der
treffliche Mann trug, da er in Erfahrung
brachte, daß jener Bücher schreibe, ihm an, die
Chronik seiner Familie und seiner ziemlich weit=
läufigen Besitzungen aufzuzeichnen. „Er kann
sich dabei etwas Bedeutendes verdienen, mein
Freund," setzte er schmunzelnd hinzu; „freie
Kost und Wohnung nebenbei auf meinem
Schlosse ist eben auch nicht zu verachten, und
dabei erlangt Sein Geist in Aufzählung und
Niederschreiben merkwürdiger Ereignisse und
Personen die gehörige Bildung und Festigkeit."

Der Dichter, den sein Muthwillen trieb, auf dergleichen Vorschläge stets auf das treu= herzigste einzugehen, dankte mit vielen Worten; indem er zugleich seinem neuen Gönner begreif= lich zu machen suchte, daß er für's Erste noch beschäftigt sey, Theaterstücke zu schreiben. Der Edelmann wurde, als er dieses hörte, nachdenk= lich, und seine Miene drückte jetzt eben so viel Mitleid und Bekümmerniß aus, als früher Wohlwollen und Theilnahme in ihr geruht hatten. „Junger Mensch," rief er, „Er wan= delt da geradenwegs in Sein zeitliches und ewi= ges Verderben, unterlaß Er das; wer wird Ihm ein Amt oder eine Frau geben, wenn man weiß, daß Er so ein elendes Handwerk treibt. Bedenke Er das Ende aller irdischen Dinge, mein Freund, und die ewige Verant= wortung dort oben."

Aus diesen frommen Betrachtungen wurde der treffliche Mann ziemlich unsanft aufgeschreckt durch ein lautes Gezänk vom obern Ende des Tisches her, und zwar über eine Stelle aus Vol= taire's Pucelle. Man war uneinig, ob ein leicht= fertiges Bild aus jenem Gedicht diese oder eine andere Beziehung haben könne. Einige ver= langten die angeführten Verse in ihrem Zusam= menhange zu hören, und in dem Momente er= hob sich der Prinz oben an der Tafel, stellte

sich in die gezierte Stellung eines beliebten be=
kannten Deklamators, und rezitirte wohl ein
paar Dutzend Verse in einem singenden Ton
her. Als er geendigt hatte, ertönte ein allge=
meines Klatschen und Rufen, die Streitenden
versöhnten sich im Gelächter und Beifall, der
Landedelmann aus der Mark schüttelte aber be=
denklich das Haupt. Er wurde noch ungehaltener,
als jetzt eine Fluth kleiner ärgerlicher Anekdötchen
einbrach, zu der jeder der Gäste seinen Antheil
hergab; besonders waren ein paar französische
Abbé's unerschöpflich, sie stahlen sich einander die
Geschichten vom Munde, und fachten die ausge=
laſſenste Laune an. Es wurden die Höfe von
Versailles und Berlin in dieser Beziehung ver=
glichen, und der Marquis erklärte, daß der letz=
tere, obgleich schon weit vorgedrungen, noch viel
vom ersteren zu lernen habe. Diese Parallele
gab Veranlaſſung, auch andere Gegenstände
dem Spott und der Verfolgung Preis zu geben,
und vor allen mußten jetzt die Abbé's Sarkas=
men über die Kirche und ihre Priester auf sich
nehmen. Ein vor kurzem erschienenes, von ei=
nem witzigen Kopf, doch mit zügelloser Feder,
geschriebenes Gedicht, kam zur Beurtheilung,
und jetzt ertönten Schwänke und Reden, die der
Landedelmann nur mit Entsetzen anhörte. „Ach
Gott,“ seufzte er vor sich hin, „ich habe einen

Sohn bei der Armee, er ist mein Stammhalter; ich habe den Jungen in Gottesfurcht und Ehrbarkeit erzogen, was wird in solcher Gesellschaft aus ihm werden!" Der Graf endigte das Gespräch, indem er laut rief: Après nous le déluge!" — „Ja wohl après nous le déluge," wiederholte der ganze Chor den bekannten Spruch der Marquisin von Pompadour. Die Gläser klangen zusammen, Scherz und Gelächter erreichte die höchste Spitze.

„Die schöne Frau, die ganz Europa jetzt an ihrem Zügel hält, hat vollkommen recht," nahm der Marquis das Wort. „Gibt es ein Jahrhundert des Glanzes, der höchsten Geisteskraft und des göttlichsten Leichtsinnes, so ist es das unsrige; was nach uns folgt, kann uns ganz gleichgültig seyn. Mögen doch dann Fluthen oder Feuerbrände diese Welt zerstören, und ein Geschlecht vernichten, das, nachdem die höchsten Güter erschöpft sind, doch nur eine magere Erndte halten würde."

„Indessen wissen möchte ich doch," rief ein Abbé, „wohin unsere Seele nach dem Tode versetzt wird, wenn es keinen Himmel und keine Hölle gibt; irgendwohin muß sie doch."

„Verfliegen wird sie, in Nichts dahinstieben," entgegnete der Graf; „der Geist ist nur

eine Modifikation der Materie, wie uns Dide=
rot lehrt."

„Après nous le déluge!" riefen alle, „das
große Jahrhundert soll leben!"

„Was mich betrifft," nahm ein junger Offi=
zier das Wort, „so verwandele ich mich gerne
in einen Seufzer auf den Lippen eines schönen
Kindes." — „Und ich in den Gegenstand die=
ses zärtlichen Hauches," rief der Abbé. Sein
Nachbar, ein ältlicher süßlächelnder Herr, ge=
stand mit Lächeln, daß er am liebsten der
Schuh an Chloé's schönem Füßchen seyn wolle;
und der Marquis bat sich von den ewigen Göt=
tern das Amt eines Kniebandes aus. Alles
lachte, und der Graf rief, zum Prinzen gewen=
det: „Und Euer Durchlaucht wählen sich kein
zukünftiges Plätzchen?" — „Gewiß," war die
Antwort, „meine Wahl ist getroffen; ich mas=
quire mich als Crebillon's Sopha." — „Vor=
trefflich!" rief eine Stimme, „so sind wir alle
vielleicht um hundert Jahre wieder in diesem
Saal versammelt, und ich lade hiemit die hoch=
verehrten Sopha's, Kniebänder, Seufzer und
Schuhe zum Abendessen ein. Wer sich nicht
maskiren kann, komme ohne Maske."

Eine augenblickliche Stille trat nach diesen
Worten ein; die Geister=Einladung verfehlte
ihre Wirkung nicht, und man fing jetzt an,

Gespenstergeschichten zu erzählen. Der Spott brauste hier von neuem auf, bis der Prinz rief: „Meine Herrn, über diesen Gegenstand muß ich mir das Lachen verbitten; ich kann Ihnen bezeugen, daß in unserm Stammschloß sich jedesmal bei einem bevorstehenden Todes= fall eine gespenstische Erscheinung in weißer Frauentracht zeigt." Diese Aeußerung stimmte wieder zum Ernst, und der Landedelmann athmete wieder auf, indem er seinem Nachbar zuflüsterte: „Nun Gottlob, sie glauben noch an Gespenster, da ist doch nicht alle Hoffnung verloren." Nachdem einige Geschichten vorgetragen worden waren, rief ein ältlicher Offizier: „Sie wissen doch, meine Herrn, daß unserem König im Schlosse Sansfouci einmal —" Der Graf winkte dem Erzähler mit den Augen, man be= merkte, daß der Prinz die Farbe wechselte; er erhob sich, und mit ihm stand jetzt die ganze Gesellschaft auf. Der Graf näherte sich dem Marquis, und lispelte diesem zu, indem er auf jenen Offizier deutete: „Wie unvorsichtig, in des Prinzen Gegenwart jene merkwürdige Ge= schichte zu berühren, und überhaupt das Kapi= tel von den Erscheinungen aufzubringen. Je= dermann weiß, daß Seine Durchlaucht, wenn gleich am Tage ein starker Geist, doch am

Abend und gegen die Nacht zu an den Nerven leiden."

Mitternacht war lange vorüber, und die meisten Gäste machten sich zum Aufbruch bereit; unser Dichter war einer der ersten. Durch die vielen Gemächer irre geleitet, verfehlte er den rechten Ausgang, und gelangte in das Schlaf= gemach des Grafen. Eine einsame Lampe ver= breitete ihr Mondlicht durch den geschmackvoll verzierten Raum; der Kamin brannte, auf ei= nem Tischchen vor dem Bette war ein weibli= ches Portrait aufgestellt. Es zeigte Clarissens Züge; neben dem Bilde lag ein offener Brief, er war von ihrer Hand geschrieben, und der Jüngling konnte sich nicht enthalten, die weni= gen eiligen Worte, die er enthielt, zu lesen; sie lauteten: „Wenn es wahr ist, daß Sie mit dem jungen Prinzen in Verbindung stehen, daß Sie auf seine Entschlüsse Einfluß haben, so beschwöre ich Sie bei der Ruhe und dem Glück unserer Familie, retten Sie meine unglückliche Schwe= ster, ehe es zu spät wird. Vielleicht nur noch wenige Stunden sind unser."

Ein Geräusch, das sich im Vorgemach hö= ren ließ, machte, daß der Dichter auf das schleunigste seinen Platz verließ. Man bemerkte ihn auf der Treppe und im Gedränge nicht; als er auf der Gasse angelangt war, betrachtete er in seinem Geiste den geheimnißvollen Schatz, den er eben gefunden. Die Worte des Pagen an dem Abend bei der Prophetin fielen ihm jetzt wieder ein, und er stellte beide Anzeichen zusammen. Mehr aber als diese Besorgnisse beschäftigte ihn der Umstand, Clarissens Bild beim Grafen angetroffen zu haben. „Sollte sie ihn lieben," rief er bei sich, „ihn sich zum Gat=ten gewählt haben?" Er glaubte in dieser Voraussetzung eine Unmöglichkeit zu sehen, und dennoch mußte er gestehen, daß des Grafen glänzende Erscheinung eine solche Wahl bei je=dem andern Mädchen vollkommen rechtfertige.

Die verworrenen Bilder des Gehörten und Gesehenen an diesem Abend verfolgten ihn, und er mußte fürchten, daß sie ihn in seine Ein=samkeit begleiten würden, um ihn dort zu plagen. Gerne hätte er jetzt Mylius zur Seite gehabt, doch er mußte fürchten, den Philosophen in so später Stunde nicht mehr wach zu finden. An dem Hause, bei Sabinen's Tante, vorbeigehend bemerkte er Licht; er blieb stehen und hörte drinnen Gespräch und Gelächter, zwischendurch das Klirren von Säbelhieben. Verwundert schlich er sich ins Haus, öffnete ein dunkles Vor=gemach, und lauschte durch die Thüre. Nur mit Mühe konnte er die junge Schauspielerin erkennen, sie war phantastisch gekleidet, ein

8

Helm deckte ihr Haupt, die Rechte war bewaff=
net, und sie führte ihre Hiebe eben so sicher als
regelrecht; den Gegner konnte man nicht sehen,
doch deutlich tönte Mylius Stimme aus dem
Grunde des Gemaches hervor. Der Dichter
klopfte an, die alte Tante kam vorsichtig mit
dem Licht an die Thüre, und als der Ankömm=
ling sich zeigte, wurde er mit Freuden bewill=
kommnet. Es that sich jetzt kund, daß noch spät
eine Probe gehalten worden, weil man das
gestrige Stück am kommenden Abend wiederho=
len wollte. Mylius hatte dieser Probe beige=
wohnt, und als die andern sich entfernt, war
er mit Erlaubniß der Alten geblieben, um Sa=
binen einen kleinen Unterricht in einem regel=
rechten Duell zu geben, da es sich fand, daß die
Theaterschöne in ihrer nächsten Rolle ein sol=
ches zu bestehen habe. Der Kampf hatte bei
des Freundes Erscheinen sogleich ein Ende, ob=
gleich dieser von neuem dazu aufforderte, und
endlich, da Sabine sich weigerte, selbst die Waffe
ergriff, wo sich denn beide Freunde recht tapfer
herumschlugen. Als diese Lust gebüßt war,
warf sich der Dichter mißmuthig auf das Sopha,
und alsbald gesellte sich Sabine zu ihm.

„Nun," sagte Mylius, „Sie kommen ja
aus einer vornehmen Gesellschaft, weßhalb diese
üble Laune jetzt?"

„Laß mich von diesem Maskenspiel schwei= gen," entgegnete der Gefragte; „mein Kopf schwindelt, so bunt haben sich Vernunft und Unvernunft, Geist und Albernheit, Witz und Plattheit, Ausgelassenheit und Furcht, grasser Aberglaube und Aufklärungssucht durcheinander gejagt, und dieses Gemisch, einem gesunden Geiste widerstehend, nennt man die gute Gesell= schaft. Das sind deine Deutschen, du armes Vaterland! Ach, es ist kein Trost, keine Hülfe zu erwarten!"

Er stützte das Haupt in die Hände, und saß grollend da; Sabine schlang ihren weißen Arm um seine Schulter: „Wie sie meinen Freund behandelt haben," klagte sie, „erst loben sie ihn auf der Bühne, und dann schlagen sie ihn hinter den Coulissen."

„Es geschieht ihm ganz recht," rief Mylius, „habe ich's nicht gleich gesagt, nichts ist mit die= sen Leuten anzufangen. Gehe in den Krieg, Freund, laß Dich todtschießen, so ist die Welt einen lästigen Verbesserer los, und Du erndtest doch wenigstens den Ruhm eines tapfern Sol= daten."

„Nicht todtschießen!" rief Sabine, „nicht todtschießen meinen kleinen Dichter. Kommen Sie," setzte sie heiter hinzu, „wir wollen Ihr Drama aufführen, ich will Ihnen zeigen, wie

ich die Sara gespielt, oder hören Sie vielleicht
lieber, wenn ich Ihnen etwas vorsinge?"

Sie ging und brachte ihre Laute; nach
einem kleinen Vorspiel sang sie mit leiser
Stimme:

> Ein Küßchen, das ein Kind mir schenket,
> Das mit den Küssen nur noch spielt,
> Und bei den Küssen noch nichts denket,
> Das ist ein Kuß, den man nicht fühlt.

> Ein Kuß, den mir ein Freund verehret,
> Das ist ein Gruß, der eigentlich
> Zum wahren Küssen nicht gehöret,
> Aus kalter Mode küßt er mich.

> Ein Kuß, den mir mein Vater gibet,
> Ein wohlgemeinter Segenskuß,
> Wenn er sein Söhnchen lobt und liebet,
> Ist etwas, das ich ehren muß.

> Ein Kuß von meiner Schwester Liebe,
> Steht mir als Kuß nur soweit an,
> Als ich dabei mit heißem Triebe
> An andre Mädchen denken kann.

> Ein Kuß, den Lesbia mir reichet,
> Den kein Verräther sehen muß,
> Und der dem Kuß des Täubchens gleichet,
> Ja, so ein Kuß, das ist ein Kuß!

Sie hatte geendet, ließ die Laute in den Schoos
sinken, und sah mit einem wehmüthig schalkhaf=
ten Blicke hinauf.

„Es ist das beste Lied, das Du gemacht hast," rief Mylius, „nur will mir nicht gefallen, daß die Küsse so streng klassifizirt sind; wer überhaupt beim Küssen an Bezeichnungen und Unterscheidungen denken kann, küßt immerdar nur schlecht."

„Es ist auch nicht so gemeint," entgegnete der Dichter; „die Betrachtung kommt nach dem Genuß. Wie schlimm wäre es mit unsern Empfindungen bestellt, wenn wir uns von ihnen keine Rechenschaft geben könnten."

„Nur keinen gelehrten Discurs," rief Sabine, „dergleichen kann ich durchaus nicht leiden."

Die Jünglinge schwiegen und sahen die Schöne an, die sich jetzt zu Lessing beugte; sie schüttelte das Köpfchen, und indem sie den Freund besorgt anblickte, seufzte sie:

Ach ihn hat ein giftig Schlänglein
Angerührt mit böser Tücke;
Kalt und bleich sind seine Wänglein,
Ausgelöscht sind seine Blicke.

Sie erhob sich, und ging still im Gemach auf und ab.

„Man sehe nun den Dichter," rief Mylius heftig, „worin steckt nun eigentlich sein ganzes Unglück? Er hat ein Stück geschrieben, das gefällt, er hat einen trefflichen jungen Menschen zum Freund, er hat —"

„Kommt!" rief Sabine rasch, und zog beide Jünglinge an der Hand zu sich, „kommt, ich will euch ein Mährchen erzählen." Sie sah sich scheu um, und fuhr dann in einem Tone zu sprechen fort, gleich einer Wärterin, die ein unruhiges Kind zur Ruhe bringen will.

„Es reiste Jemand auf der Landstraße, der Mann hatte zwei hübsche Kinder, ich weiß nicht, ob sie sein eigen waren, oder nicht; diese Kinder nannte er Liebe und Haß. Wie der Mann nun so schnell durch die Nacht dahin= fuhr, geschah es, daß eines dieser Kinder aus dem Wagen fiel. Es war die Liebe, sie weinte bitterlich, als sie sich so allein sah auf der einsamen Straße, dennoch hatte sie keinen Scha= den gelitten, stand auf und ging einer Stadt zu, deren Lichter in einem großen schönen Strome sich widerspiegelten. Gleich aus dem ersten Hause kam auf ihr Anpochen ein Mann heraus, der hatte Augen wie große Pfefferkör= ner, einen Mund gleich einer breitgepreßten Rosine, und eine lange lange Mandelnase, der sagte verdrießlich: Ich bin, wie Du siehst, ein Gewürzkrämer, und kann die Liebe nicht brauchen. Die arme Liebe ging weiter, doch je mehr Straßen sie durchmachte, ängstlich

suchend, desto mehr Lichter erloschen, und der
Häuser, an welchen sie anklopfen durfte, wur=
den immer weniger. Aus einem trat ihr ein
dünner Mann entgegen, der wehrte sie mit bei=
den langen dünnen Armen ab, und sah wie
eine aus dem Gelenk gefallene Papierscheere
aus; er raschelte aus einem Haufen Papiers
hervor, und quikte und schnalzte: Ich bin ein
Schreiber, und kann die Liebe nicht brauchen.
In einem schönen Pallast saß ein bildhübscher
junger Mann wach, der sah die Liebe weh=
müthig an und sagte: Ich kann Dich nicht
brauchen, denn ich muß heirathen. Und so
hatte jeder seine Gründe, am Ende war die
ganze Stadt dunkel, und das arme Kind ge=
rieth in Verzweiflung. Als sie so nach Lich=
tern spähte, da bemerkte ihr Auge im Thurme
hoch in den Lüften ein einsames Licht; ge=
schwind stieg sie die enge Treppe hinauf, sie
klopfte an: Herein! rief eine laute Stimme.
Da saß sie am Tische einen Knaben sitzen, dem
die hochgelben Locken wie Flammen um den
Kopf braußten, die rothen Wangen sprühten
Feuer, und er las emsig in einem alten Mähr=
chenbuch. Ach! rief er, so bist Du also das
Wesen, von dem hier so viel geschrieben steht,
gut, bleibe bei mir; zugleich kannst Du mir im
Geschäfte helfen, denn ich bin Thürmer am Orte,

Und nun zeigte er ihr die verschiedenen Glocken, und die Art und Weise, wie sie angezogen wer= den mußten. Diese, rief er, ziehst Du an, wenn Feuer in der Stadt ist; jene große ruft die Leute zur Andacht und zum lieben Gott; die da läutet die armen Gestorbenen auf den Kirchhof, und diese hier ertönt, wenn eine heilige Prozes= sion durch die Stadt geht; nun merke Dir die= ses wohl. Beide lebten jetzt eine Zeitlang mit einander, hoch über der Stadt, in glücklicher Eintracht. Allein bald zeigte sich's, daß der wilde Knabe viel zu eifrig in seinem Buche las, und daß die gute Liebe viel lieber ihm in die blauen Augen schauen wollte, als an den Glo= ckensträngen ziehen. Er nahm sie auf seinen Schooß, erzählte ihr die eben gelesenen Mähr= chen; sie lehrte ihm dagegen, wie man Lippe auf Lippe drücken müsse, daß ein Kuß entstehe. Kam dann die Stunde, wo sie läuten mußte, so sprang sie verdrießlich auf, und hatte gewöhn= lich vergessen, was jede Glocke bedeutete. Sie riß dann an der Feuerglocke, so daß die Men= schen in der Stadt unten entsetzt aus ihren Häusern sprangen, um nach der Feuersbrunst umzuschauen, dann wollte sie schnell ihr Unrecht gut machen, und läutete die Prozession=Glocke; sogleich fielen die Leute in den Straßen auf die Kniee, weil sie nicht anders meinten, als das

Allerheiligste käme heran, und als nichts kam,
standen sie verdrießlich auf, rieben sich die Au=
gen, und schauten kopfschüttelnd nach dem
Thurme hinauf. Einmal zog sie gar alle Glo=
cken zusammen an, und da entstand eine fürch=
terliche Verwirrung; wie auf einem Kornboden
die Mäuse, so sprangen die Menschen in den
Straßen durcheinander; ein Theil wollte auf
den Kirchhof, ein anderer jagte wild durch die
Gassen und schrie Feuer, ein dritter fiel auf's
Kniee, und ein vierter verfügte sich andächtig in
die Kirche, um die Predigt anzuhören. Der
Pastor aber, der ein vernünftiger Mann war,
sagte: Der Thürmer ist toll."

„Und so sage auch ich, Du bist toll, mein
Freund!" schloß das muthwillige Kind seine
Erzählung; „Dein Kopf gleicht dem Thurme
in meiner Fabel, er ist auch verrückt."

„So rücke ihn wieder zurecht," rief der
Jüngling, und neigte sich zu ihr.

Sie sah ihm mit einem spöttischen und
zürnenden Blicke in's Auge. „Nur nicht zärt=
lich, nichts kann mich so wild machen, als solch
Wesen; ich liebe mir den Mann ernst, tiefsin=
nig, verschlossen, sogar launisch und verstimmt."

„Und wie ich's war," rief der Dichter, „so
wurde ich getadelt, wunderliches Geschöpf!"

Sie lehnte das Haupt an die Polster
zurück. „Wenn Sie wüßten, meine Herren,
wie schläfrig ich bin, so würden Sie mich nicht
länger belästigen." Sie schloß die Augen, ihre
Arme sanken in den Schooß nieder.

„Ein höflicher Abschied, den wir bekom=
men," rief Mylius aufspringend und nach sei=
nem Hut greifend.

Lessing betrachtete die Schlummernde. „O,
diese Augen," rief er nach einer Pause, „jetzt
da sie geschlossen sind, hat die Welt Ruhe! Die=
sen trügerischen Mond deckt Gewölk, und jeder
kann nun schlafen und träumen, so lange und
schwer er will. Oftmals, wenn ich als Kind
so in den verschleierten Mond hinauf sah, dachte
ich bei mir: der Mond will allein seyn, er hat
zu denken, und will nicht, daß man ihn störe.
So kehren auch Mädchenblicke oft in sich, wenn
sie allein sind, und über all' das Unheil, das
sie angerichtet, nachdenken wollen. Wie manche
Mädchenaugen scheinen zu schlafen, und sind
am Ende nur solche stille nachdenkende Monde."

Sabine lächelte mit geschlossenen Augen, sie
reichte langsam ihre Hand zum Abschiede hin,
und beide Jünglinge verließen das Zimmer.

Der reiche Edelmann, der durch Leſſings Aufmerkſamkeit und Ergebenheit gewonnen war, dachte jetzt ernſtlich daran; den Jüngling an ſich und ſein Intereſſe zu feſſeln. Es wurde der Plan zur Reiſe entworfen, die Bedingun= gen, welche beide Theile zu machen hatten, feſt= geſetzt, und der Sohn, ein gutgearteter lebhaf= ter Knabe, gewöhnte ſich an den Gedanken, künftighin ſeinem jungen Lehrer, zu dem er ſchon jetzt Vertrauen und Zuneigung fühlte, ganz anzugehören. Dieſe erfreulichen Ausſich= ten meldete unſer Dichter ſeinen Eltern; zugleich, damit die Nachricht nicht entſtellt, durch fremde Einmiſchung zu ihnen gelangen möge, ſchrieb er in kurzen Worten von der Aufführung ſeines Theaterſtücks und dem dabei geärndteten Bei= fall. Jetzt, da er ſich auf der einen Seite ge= ſchützt und gerechtfertigt ſah, konnte er um ſo freier von ſeinen ſchriftſtelleriſchen Arbeiten ſprechen.

Als er dieſe Briefe abgeſendet, fühlte der Jüngling, daß die Hauptlaſt damit nicht von ſeinem Buſen gewälzt war. Clariſſens Schick= ſal und das ihres Hauſes war es, was ihm beſtändig im Geiſte vorſchwebte. Die Beſorg= niſſe, welche jene aufgefangenen Winke und jene Anzeichen in ihm erregten, konnten nur durch ein Geſpräch mit ihr ſelbſt gehoben

werden; allein wie zu einer solchen Gunst des
Geschicks, die er sich schon so oft im Stillen ge=
wünscht, gelangen? Zum erstenmal fühlte er
schmerzlich die Wahrheit jener Betrachtung, die
ihm seine Mutter damals vorgehalten, die Con=
venienz, die strenge Etiquette, mit der der Adel
sich fern hielt und seine Stellung gegenüber den
andern Ständen behauptete, erschien ihm jetzt
vollends grausam und unerträglich. Das ein=
zige Mittel, von den beiden Gräfinnen etwas zu
erfahren, vielleicht gar zu einer Unterredung mit
ihnen zu gelangen, war, Babeten aufzusuchen,
sie in's Interesse zu ziehen, und hierzu fand er
sich nicht abgeneigt; allein wo sollte er dieses
muntere Kind allein und ohne Zeugen antreffen?
Der Zufall verhalf ihm zu günstiger Gele=
genheit.

Ein einsamer Spaziergang hatte ihm im=
mer wohlgethan; in der Abenddämmerung, die
schon zu herrschen begann, wanderte er daher
vor's Thor hinaus. Die Straße, die ohnedieß
nicht zu den besuchtesten gehörte, wurde bald
völlig leer, und unser Dichter befand sich, ehe
er es recht bemerkte, allein auf jenem Platze bei
der Kirchhofmauer, an derselben Stelle, wo er
vor wenigen Tagen zurück mit seinem gesprä=
chigen Freunde gestanden. Wie damals, so
leuchtete auch jetzt der aufsteigende Mond mit

sanftem und klarem Lichte nieder, das einsame
Häuschen der Prophetin, der daranstoßende Kirch=
hof und die mit Bäumen bepflanzte Straße
zeigten sich friedlich und still, wie in jener Nacht,
wo sich ein so buntes und wunderliches Leben
dennoch in ihnen barg. Lessing horchte in die
Stille hinein und vernahm nun ein Lied, das
eine weibliche Stimme anfangs leise, dann im=
mer lauter absang. Die Töne kamen vom Kirch=
hof herüber und das Auge, mit Aufmerksamkeit
hinschauend, konnte alsbald auch eine Gestalt er=
blicken, die auf einem der Leichensteine, nahe
dem Hause des Wächters, Platz genommen hatte.
Neugierig, wer die Sängerin sey, schlich sich
unser Freund behutsam heran und erkannte jetzt
das gefühlvolle Kammermädchen, das, beide Arme
um die Knie geschlungen, mit dem weit zurück=
gebogenen Haupte in den Mond starrend, fol=
gende Strophen sang:

Wenn Dein Strahl, Du Freund der Nächte,
Chloe's zart Gemüthe kennt,
Weiß er auch, wie es jetzt heftig
Bei Leander's Strenge brennt.

Ach, kein Schäfer ward wie dieser,
So mit holdem Reiz geschmückt,
Keinem ist der stolzen Chloe
Herz zu rauben, so geglückt.

Eil', o Freund der stillen Nächte,
Bring' ihm Seufzer, Hauch und Gruß,
Lächle auf sein Antlitz nieder
Und flüst're: das war Chloe's Kuß.

Die Verse tönten still über die Gräber da=
hin, und das gerührte und begeisterte Mädchen
erschrack heftig, als jetzt der Dichter auf sie zu=
trat. Das hübsche Gesichtchen zu ihm gewendet,
erwiederte sie auf seine Fragen: „Ach geh'n Sie,
Musje, und lassen Sie mich man schwärmen,
der jute liebe Mond juckt mir so freundlich an,
daß ich sogleich an meene Amour denken mußte.
O Jott, Jott, man wees jo nicht, was er macht.“
Sie hub an zu schluchzen, suchte nach ihrem Ta=
schentuch und konnte es nicht sogleich finden, da
sie den obern Rock aufgebunden hatte, um ihn
auf dem Steine nicht zu beflecken. Lessings
Fragen nach dem Fräulein überhörte sie in ih=
rer trüben Stimmung und fuhr schluchzend in
ihren Klagen fort. „Berlin ist eene jrose Stadt,
Potsdam ist een scheener Ort, aber es gibt nir=
gends auf Jottes Erdboden so vele elende und
betrogene Frauenspersonen als hier, das Alles
wegen der Herrn Offizöhre und den bösen Kriegs=
läuften; c'est pour celà, die jungen Kwalöre
haben keene Lust an reellen Passionen, sie ziehen
man die liaisons vor, und dazu kommt die vor=
nehme philosophische Conduite, daß es eene

Schande ist, einem ehrlichen Mädchen sein Wort
zu halten. Du juter Mond, Du da oben, hélas!
gibt es auf Dir auch des perfides amants? ne,
ne, es gibt keene!

Sie weinte jetzt auf das heftigste, und der
Jüngling, der sich neben sie gesetzt hatte, umfing
sie tröstend. „Glaube nur, liebe Babette," rief
er, „daß Dein John, wie alle andere Grena=
diere, die ein so hübsches Bräutchen zurückgelaf=
sen haben, nicht die kleinste Untreue sich erlau=
ben dürfen. In diesen Fällen verübt der Mond
eine strenge Polizei; es entgeht ihm kein Unge=
treuer, und finden sich solche, so werden sie alle
mit den Zöpfen an die blanke Scheibe ange=
nagelt."

„Mais sans doute?" fragte die Blondine,
indem sie sich rasch umdrehte, „das also ist die
Strafe für ungetreue Amanten?" — „Verlaß Dich
darauf," rief der Dichter ernstlich, „der Freund
da oben ist hierin unerbittlich, und ich kann Dich
versichern, daß er gerade auf Berlin es gemünzt
hat. Aber nun sage mir, wie es bei Euch zu
Hause geht und was die beiden gnädigen Com=
tessen machen." Babet trocknete sich die Au=
gen, warf noch einen Blick auf den Mond und
erwiederte dann: „Das janze Haus ist in eener
barbarischen Traurigkeit, unsere alte Tante Si=
bille ist angekommen, et je vous jure c'est une

odieuse personne! entre nous soit dit. Sie werden, Monsieur Ephraim, Alles changirt finden, keen Auskommen ist mehr und das Allerschlimmste soll noch kommen, man wees nicht was. Die alte Kartenhexe ist befragt worden, jetzt steh'n die Koffer gepackt, gegen Morgen soll es davongehen; ich habe nur noch auf ein Stündchen zu der alten Gertrud, die hier bei ihrem Bruder, dem Kirchhofwächter, wohnt, schlüpfen können pour prendre congé. Der Christian aber läuft herum, um auch Monsieur Ephraim zu suchen, da Euch, entre nous soit dit, die gnädige Comtesse Clarissa etwas zu vertrauen hat."

„Verdammt!" rief Lessing aufspringend, „und das sagst Du mir erst jetzt? Geschwind, wo ist Christian, er soll mich hinführen."

Das Mädchen veränderte bei diesen Zeichen einer lebhaften Ungeduld weder ihren Platz, noch im Wesentlichen ihre Mienen. „Er wird hierher zurückkehren, wenn er Euch nicht findet," erwiederte sie nach einer Pause, dann wandte sie wieder ihre Blicke dem Monde zu: „ach!" rief sie seufzend, „mein Unglück ist eenzig, daß ich von so schwermerischer Complektion bin, ich meene das Simphatisiren wird mir noch eenmal das Garaus machen; zuverläßig bin ich unter allen dienstbaren Frauenzimmern das

empfindfamfte. O du jettliche Liebe, jraufamer
Jott, wohin führft Du mir?" —

Sie hätte noch gerne fo fortgefchwärmt,
wenn des Jünglings Ungeduld es zugelaffen.
Er beftand darauf, daß fie fogleich ihn zu ihrer
Gebieterin führen follte; er hätte das ganze Haus
in Bewegung gefetzt, wenn nicht zu Babettens
Freude jetzt der alte Chriftian erfchienen wäre,
der athemlos von feinen vergeblichen Gängen
heimfehrte. Er fchrie laut auf, als er den Dich=
ter erblickte; beide verftändigten fich jetzt und es
wurde der Entfchluß gefaßt, fogleich den Weg
anzutreten. Vorher fand es jedoch der Alte für
gut, die zärtliche, feiner Obhut anvertraute Schöne
in ficheres Gewahrfam zu bringen. „Du Plau=
dertafche!" fuhr er fie mürrifch an, „es ift auch
jetzt Zeit, mit jungen Herrn zu parliren und in
den Mond zu gucken; geh', fort in die Stube,
dort wird Dir Mutter Gertrud Wolle aufzukra=
tzen geben."

„Deine Augen will ich auskratzen, Du alte
Maufefalle!" rief das Mädchen fchnippifch. „So
ein kurzzöpfiger, flatterwadiger Menfch, wie Er,
hat freilich nie das himmlifche Glück gefühlt,
was unfer eenem die noblen Sentiments gewäh=
ren thun."

„Das Mädel ift total übergefchnappt!"
brummte Chriftian, nachdem er Babetten fortge=

9

führt, „hat auch die verdammten Bücher ge=
lesen. Das Uebel kommt von der zunehmen=
den Poeterei. Seitdem diese gottlosen Künste
los und ledig sind, hat der Teufel frei Quar=
tier. In meiner Jugend gab es nur große Fo=
lianten, Kriegshistorien, Moskowitische Reisebe=
schreibungen, hochgelehrte Chroniken und der=
gleichen weise und verständige Bücher, die dann
so ein prachtvolles Gewicht hatten, daß man
leichtlich ein paar Schädel mit ihnen einschlagen
konnte; das kleine Zeug aber, das heutzutage
geschrieben wird, nistet sich wie schädliches Unge=
ziefer überall ein, kriecht den Frauen in die
Poschen, nimmt in jeder Puderbüchse Platz, und
macht, daß ein ehrlicher Ehemann oder Liebha=
ber ganz des Teufels werden möchte."

Unser Freund überhörte diese Betrachtun=
gen gänzlich, er war heftig bewegt, seine Wan=
gen glühten, seine Schritte wurden immer eili=
ger. „Was wird sie mir entdecken?" rief er bei
sich selbst, „nicht ohne Abschied hat sie sich von
mir trennen wollen! Du Glücklicher, an Dich
hat sie gedacht, in Deinen Augen als kalt und
gleichgültig zu scheinen, war sie nicht im Stande,
lieber gab sie etwas von der, ihr so hoch stehen=
den Sittenstrenge nach." Er mußte sich mit
Gewalt Fassung auferlegen, als man sich jetzt
dem Hause näherte. Diese Zusammenkunft, ihm

vom günstigsten Geschick als köstlichstes Geschenk
bewilligt, durfte auf keine Weise ungenützt da=
hingehen, so Vieles hatte unser Freund auf dem
Herzen, so manches Wichtige konnte in einer
vertrauten einsamen Stunde besprochen und ent=
schieden werden. Als er die Stiege betrat, klopfte
sein Herz heftig, Christian winkte ihm Stille
zu; vorsichtig schritt er einen langen Gang vor=
an und öffnete endlich an dessen Ende eine Thüre,
die in ein kleines Vorgemach leitete. Der Ein=
gang, der in's Nebenzimmer führte, war offen,
und Lessing sah seine Freundin, das Haupt sor=
genvoll auf den schönen Arm gestützt, allein an
einem Tischchen sitzen, das mit Papieren und
Kostbarkeiten bedeckt war. Sie erhob sich und
kam ihm entgegen. Ihr Gang war frei und
stolz, doch ihre holdselige Miene nicht ohne eine
kleine Befangenheit: das große schwarze Auge
blickte mit einem Ausdruck von Wehmuth und
Besorgniß vor sich hin. Christian durfte im
Vorgemach bleiben; ein paar Kammerfrauen be=
schäftigten sich mit Einpacken von Kleidungs=
stücken und Geräthe.

„Nicht wahr, verehrter Herr Lessing," hub
die schöne Gestalt, mit dem sanftesten Ton der
Stimme, an, „mein Thun und Treiben erscheint
ihnen seltsam und unerklärlich. Vor wenig
Wochen war ich es, die von Ihnen völlig

und auf die Dauer des ganzen Winters Abschied
nahm, und jetzt ist es dieselbe Person, die Sie
so angelegentlich und in der ganzen Stadt auf=
suchen läßt. Allein Sie sollen den Grund dieses
widersprechenden Entschlusses sogleich erfahren;
nehmen Sie Platz und schenken Sie mir ein ru=
higes Gehör."

Christian brachte einen Stuhl herbei, und
der Jüngling mußte dicht neben seiner schönen
Freundin Platz nehmen. Schüchtern hob er das
Auge, und seine Blicke suchten und trafen die
ihrigen; die innere Unruhe und Befangenheit,
der sie vergeblich Meister zu werden strebte, goß
einen weichen rührenden Liebreiz über sie aus,
nie war sie ihm schöner erschienen. Jetzt wurde
die Thüre zum Vorgemach geschlossen, trübe
brannten die Kerzen an den hohen Spiegeln,
eine Spieluhr klagte in langsamen Accorden
durch die lautlose Stille; als ihre schwermüthi=
gen Melodien verklungen waren, erhob sich die
Gräfin, und nachdem sie ein paar Gänge durch's
Gemach gethan, nahm sie völlig gefaßt und ru=
hig ihren Platz wieder ein. „Mein junger, ver=
ehrter Freund," hub sie an, „Sie sind ein Dich=
ter; man gibt Leuten Ihrer Art oft eine gewisse
Vorliebe für alles Besondere und Abenteuer=
liche Schuld; der Plan, den ich jetzt mit Ihrer
Hülfe auszuführen Willens bin, grenzt an jene

Eigenschaften. Ein Unglück, das meiner Fami=
lie nahe bevorsteht, und welches ich vergeblich
auf andere Weise abzuwehren gesucht, zwingt
mich, ein Mittel zu ergreifen, welches ich unter
andern Umständen selbst für höchst unstatthaft
erklärt hätte."

Die Aufmerksamkeit des Jünglings war auf's
höchste gespannt und die Gräfin fuhr fort: „Ich
heische Ihren Beistand für meine arme Schwe=
ster; vernehmen Sie, welch' einen fürchterlichen
Plan man gegen das arme Kind ersonnen.
Meine Familie, an Glanz und Ansehen immer=
dar hochstehend, hat fortwährend höher gestrebt;
reichten Verdienste und Auszeichnungen nicht hin,
ihre Zwecke zu befördern, so mußten wohl oft
Mittel an die Stelle treten, die jene ruhmwür=
digen Eigenschaften, wenn gleich an Wirkung,
doch nicht an Würde ersetzten. Der unbegrenzte
Ehrgeiz meiner Verwandten hat unser Haus schon
einmal dem Verderben nahe gebracht, meine
Tante hat diese unglückselige Leidenschaft in ei=
nem Maße geerbt, der sie zu den verdammungs=
würdigsten Thorheiten treibt, wie denn jener
Plan, dessen Ausführung im Werke ist, ein trau=
riges Beispiel hierzu liefert. Sie haben wohl
von dem jungen Prinzen vernommen, der un=
sere Hauptstadt vor einem Jahr besuchte: dieser
liebenswürdige Herr hatte meine Schwester kaum

erblickt, als er die heftigste Leidenschaft zu ihr
faßte und jeden nur möglichen Weg aufsuchte,
um in dem Busen des Mädchens dieselben Flam=
men zu entzünden. Sie sind beide sehr jung:
Leopoldine mit der Welt und ihren Verhältnis=
sen gänzlich unbekannt, geschmeichelt durch eine
so auszeichnende Annäherung, gelockt durch das
Abenteuerliche einer Intrigue bildet sich ein,
den Prinzen schwärmerisch zu lieben, unsre gute,
sonst so verständige Bonne ist thöricht genug, sie
hierin zu bestärken. In den Händen meiner
Tante erhielten nun aber diese unglücklichen
Bestrebungen vollends Gestalt und Richtung;
der Graf Felix wurde sofort in's Interesse ge=
zogen, und mit dem Prinzen, der auf Befehl
seines Vaters die Stadt verlassen mußte, ein
förmlicher geheimer Briefwechsel angeknüpft und
unterhalten. Mich suchte man von jeder Theil=
nahme auszuschließen, meinen Forschungen wi=
chen Alle geschickt aus, und selbst das schwester=
liche Vertrauen, bisher eben so warm als thä=
tig zwischen uns bestehend, wurde wankend ge=
macht. Alles, was ich in dieser Lage thun
konnte, war, die handelnden Personen nicht aus
dem Auge zu lassen, sie, wo es in meiner Macht
stand, geschickt und unmerklich beobachten zu
lassen. Auf diesem Wege brachte ich nun in
Kenntniß, daß der junge Prinz Versuche gemacht,

fich meiner Schwester zu bemächtigen, durch die
Spionen seines Vaters jedoch an dem Gelingen
seines Vorhabens verhindert worden sey. Die
Bestätigung dieser Nachricht konnte ich ganz
wohl an dem tragischen Aussehen der Bonne, so
wie an der schlechten Laune meiner Schwester
absehen. Es wurden neue und nachdrücklichere
Versuche vorbereitet. Unser Vormund, ein schwa=
cher, charakterloser Mann, erschien, der Graf
wurde berufen, man steckte die Köpfe zusammen,
Briefe langten an und wurden versendet, meine
gute Schwester schwamm dabei in Thränen, die
sie sorgfältig vor meinen Blicken zu verstecken
suchte. Alle diese Anzeichen, mehr aber noch
die Mittheilungen meiner Späher, ließen mich
das Herannahen einer Katastrophe ahnen, deren
Wichtigkeit ich jedoch nicht für so bedeutend hielt,
als ich es jetzt leider erfahren muß. Es ist von
nichts Geringerem die Rede, als meine Schwe=
ster dem Prinzen auszuliefern, und zwar ist die
heutige Nacht dazu bestimmt, die Reise anzutre=
ten, deren Ziel ein entfernt gelegenes einsames
Lustschloß ist, in dem der Prinz uns erwartet,
und wo eine ingeheim vollzogene Trauung das
Unglück meiner armen Schwester, die Demüthi=
gung unserer Familie, soll vollenden helfen. Ich
kann nicht erwarten, daß auch jetzt ein Hinder=
niß dem Unternehmen in den Weg treten wird;

zu ſicher ſind die Verbündeten ihrer Sache, zu
geſchickte Hände haben dieſeSmal die Wege ge=
bahnt, auch habe ich ſelbſt, da ich erſt geſtern
von Allem Kenntniß erhalten, keine rettende
Voranſtalten treffen können; das einzige Mittel,
das mir bleibt, und das ich jetzt mit raſcher
Hand ergreife, iſt: Leopoldinen ſchleunig zu ent=
fernen. Gewalt würde zu nichts führen, nur
Liſt kann wirkſam helfen; der Prinz darf nicht
früher von dem ihm geſpielten Betrug etwas
wiſſen, als bis es zu ſpät iſt, die verlorenen
Vortheile wieder zu erlangen; deßhalb reiſet Leo=
poldine ſcheinbar mit uns. Mein zweites Kam=
mermädchen, meiner Schweſter an Wuchs und
Größe ziemlich ähnlich, nimmt ihre Stelle an
meiner Seite in meinem Wagen ein, die Fahrt,
durch die Nacht begünſtigt, geht ohne Hinderniß
von Statten, und auf dem Schloſſe angelangt,
werde ich dann dieſe Handlung zu rechtfertigen,
meine Stellung gegen den unbeſonnenen jungen
Herrn ſowohl, als auch gegen meine Verwand=
ten zu behaupten wiſſen."

„Und Ihre Gräfin Schweſter," rief der
Dichter, „was wird aus ihr?"

„Ich komme jetzt," fuhr die Dame fort,
„an die Ihnen zugetheilte Rolle. Sie begreifen,
daß ich Leopoldinen nicht dem Schutze, auch der
nicht in der Verſchwörung ſtehenden Verwandten

anvertrauen darf; das erzürnte Mädchen würde
Alles aufbieten, die Hülfe dieser Leute in Thä=
tigkeit zu setzen, und jene könnten dann wohl
schwach genug seyn, ihr nach Willen zu handeln.
Ich muß vollkommen sicher seyn, die Hände völ=
lig frei haben, nur dann kann mein Rettungs=
plan gelingen. Es kommt daher darauf an,
Leopoldinen dahin zu bringen, wo weder der
Prinz, noch meine Verwandten sie vermuthen
können; ich vertraue sie daher Ihrem und dem
Schutze jenes alten treuen Dieners unseres Hau=
ses an. Christian hat den Befehl, sie noch
heute Abend zu seiner alten Verwandtin zu brin=
gen, einer frommen, gutherzigen Frau, die zur
Sekte gehört, welche auch in unserer Gegend so
viele Anhänger zählt. In dem Hause dieser
Alten bleibt sie auf das sicherste verborgen; wie
ich hoffe, soll ihre Gefangenschaft nur wenige
Tage dauern, unterdessen habe ich die nöthigen
Briefe geschrieben, und der Vater des jungen
Mannes, der regierende Herr, den ich persönlich
zu kennen die Ehre habe, wird dann, wenn es
nöthig seyn sollte, mich kräftig unterstützen."

Lessing hatte über diesen Mittheilungen sich
selbst vergessen; seine Aufmerksamkeit und Theil=
nahme war durchaus in Anspruch genommen,
und als jetzt das Fräulein geendet, der Klang
ihrer süßen, bewegten Stimme nicht mehr an

sein Ohr tönte, erwachte er aus seiner Befan=
genheit und fragte nach einer Pause: „Und was
kann ich bei diesem trübseligen Ereigniß thun,
Gnädigste?"

Die Gräfin nahm in Ton und Miene jetzt
den weichsten, bezauberndsten Ausdruck an.
„Mein edler Freund," sagte sie, „können Sie die=
ses noch fragen? Sie sollen der Verlassenen
vornehmste Stütze seyn. Die Zeit unseres Be=
kanntseyns hat mich belehrt, daß ich hierin Ih=
nen unbedingt vertrauen darf. Was jene treuen
ergebenen Gemüther bei aller Bereitwilligkeit
nicht leisten können, übernehmen Sie; von Ih=
nen erwarte ich genaue Berichte, ob und auf
welche Weise meine Anordnungen hier ausge=
führt worden. Von Ihnen kann, da sie jetzt
die Lage der Umstände und meine Ansicht ken=
nen, Leopoldine den wirksamsten Trost, die
sicherste Hülfeleistung erwarten. Oder habe ich
vielleicht zu viel auf Ihre Bereitwilligkeit, zu fest
auf Ihre Freundschaft für unser Haus gebaut?"

Sie reichte bei diesen Worten ihre Hand
dem Jünglinge hin, die dieser rasch und mit
Innigkeit an seine Lippen drückte. Er war so
bewegt, daß ihm die Worte fehlten; erst nach
einer Pause erwiederte er: „Ist's denn Wahrheit
oder ein Traum? Sie, Gräfin, würdigen mich
Ihres engen Vertrauens; ich darf zum erstenmal

in die Tiefen eines Herzens schauen, das der
Himmel nie edler und trefflicher schuf? Ach, wenn
Sie wüßten, wie stolz ich auf dieses Band bin,
das uns hinfort verknüpfen wird!"

Clarissa lächelte: „es wird nur jenes Band
befestigen helfen," erwiederte sie, „welches uns
schon früher vereinte. Sind wir uns damals
in jenen schönen Träumen einer poetischen Welt
begegnet, so wird es keine geringe Freude seyn,
in der wirklichen uns gegenseitig treu und thä=
tig wiederzufinden."

Sie erhob sich jetzt und zog die Klingel;
Christian trat herein und empfing den Befehl,
Leopoldinen zu rufen. Dieser Name weckte bei'm
Dichter auf's Neue Zweifel und Besorgnisse;
Clarissa fixirte ihn mit einem forschenden und
aufmerksamen Blicke. „Befürchten Sie nichts,"
nahm sie nach einer Weile das Wort, „das
arme furchtsame Mädchen wird uns keine Hin=
dernisse in den Weg legen, sie ist jetzt; da es
zur Entscheidung kommen soll, kleingläubig und
ängstlich geworden. Verzweifelnd hat sie noch
vor einer Stunde sich in meine Arme geworfen,
ich habe sie zu diesem Gange vorbereitet. Sie
geht, die Kaffeeprophetin, auf deren Sprüche sie
unbegrenztes Vertrauen setzt, noch um einige
Zweifel zu befragen; Christian wird sie schon
in's rechte Haus leiten. Am Morgen, wenn

wir unterdeß schon längst fort sind, müssen Sie, verehrter Freund, dann zu der Verlassenen gehen, und ihr so viel von dem heutigen Ge= spräch mittheilen, als Sie eben für passend fin= den. Das Uebrige wird sich von selbst geben. Doch ich höre sie schon kommen."

Christian trat herein, er hatte Thränen im Auge. Clarissa gab ihm einen Brief, den sie eben versiegelt hatte, indem flog die Thüre auf, und in Mantel und Tücher gehüllt stürzte Leo= poldine herein und ihrer Schwester an den Hals. Lessing hörte sie schluchzen; sie wieder= holte ihre innigen Umarmungen, bis jene leise ihr zurief: „Calmez-vous, on nous observe!" Die Eilige drückte noch einen Kuß auf die Stirne der Schwester, indem sie rief: „Wartet auf mich, wartet auf mich, sogleich bin ich wie= der da, hörst Du, daß ihr nur nicht am Ende fortfahrt ohne mich!" Sie zog ihren Schleier fester, und schlüpfte zur Thüre hinaus. Lessing konnte seine Rührung nicht verbergen, Clarissa aber behauptete die strengste Fassung. Sie trat auf unsern Freund zu, als er sich jetzt nahte, um Abschied zu nehmen. „Wohlan!" rief sie, „mein treuer Ritter, so treten Sie denn jetzt den Dienst bei Ihrer Dame an, ich hoffe, er ist nicht ganz ohne poetischen Zauber. Ist geschehen, was geschehen muß, so sehen wir uns freudig und getröstet bald wieder."

Sie reichte dem Jüngling nochmals die Hand. Er konnte nicht scheiden, jetzt, da er die edle Gestalt vielleicht zum letztenmal vor sich sah. Da sie in vertrauter Hingebung ihn mit ei= nem schönen Vertrauen beglückt hatte, fühlte er es doppelt schmerzlich, daß sie ihm nichts gesagt, was ihn näher betraf, kein Wort über sein Schauspiel. Wie wenig passend es sey, sie jetzt in ihrem Schmerz, in ihrer Bedrängniß daran zu mahnen, wußte er wohl, und dennoch konnte er nicht fort. Clarissa schien seine Gedanken zu er= rathen. „Das Schicksal ist grausam," rief sie, „ich dachte mich mit ihnen im Nachgenuß ihrer schönen Dichtung, die uns vor wenigen Tagen vorge= führt wurde, zu erfreuen, recht oft und warm meinen Dank auszusprechen, und jetzt werde ich selbst zur Rolle einer tragischen Heldin berufen! Vergeben Sie mir darum, mein edler Freund, daß ich mit Ihnen nur von mir und meinem Interesse gehandelt."

Man hörte einen Wagen vorfahren, die Kammerfrauen zeigten sich an der Thüre, die Uhr schlug Mitternacht. Es kamen eilige Tritte die Stiege herauf durch den Gang; Clarissa winkte, und gewaltsam riß sich unser Freund von der Seite des holden Mädchens; er stürmte

fort, und erst als die kalte Nachtluft seine heiße
Stirn und die entflammten Wangen berührte,
lösten sich Schmerz und Befangenheit in leise
Wehmuth auf.

Nach einem kurzen unruhigen Schlummer
suchte er am Morgen sogleich die Wohnung von
Christians Verwandten, der alten Barbara, auf.
Als er die Thüre öffnete, erstaunte er nicht we=
nig; mit dem Rücken ihm zugekehrt, saß ein
junges Geschöpf in der einfachen Tracht der
Secte gekleidet; es blickte herum, und er er=
kannte Leopoldinen, die sogleich mit einem
Schrei in die Höhe fuhr. Sie hatte geweint,
ihre Wangen waren bleich, ein Brief zitterte in
ihrer Hand.

„Um Gotteswillen!" rief sie, und faßte
den Arm des Freundes, „kommen Sie, mich zu
retten? Ich bin verrathen, betrogen! — Sehen
Sie, diese abscheulichen Kleider — o ich komme
von Sinnen. Eine alte Närrin und der Pin=
sel von Diener beherrschen mich hier, und das
alles auf Befehl meiner saubern Schwester!
Lesen Sie, lesen Sie, hier steht alles, — ich
bin des Todes!"

Sie sank im Sessel zurück, die Alte trat
herein mit einem Riechfläschchen, allein sie
wurde mit Geberden des äußersten Abscheus

zurückgestoßen. „Geh' Sie, Ungeheuer!“ rief
die Zornige, „Ihr Anblick schon bringt mich
in die fürchterlichsten Krämpfe.“

Lessing hatte indessen Zeit, den Brief Cla=
rissens zu lesen, der französisch geschrieben, die
zärtlichsten Sorgen schwesterlicher Liebe enthielt.
„Ich beschwöre Dich bei dem Angedenken un=
serer guten Mutter,“ schloß der Brief, „den
Leuten, denen ich vertraue, und die ich geprüft
habe, Dich blindlings hinzugeben. Bedenke,
Leopoldine, daß ich die Stelle der Mutter bei
Dir vertrete, daß ich über Dich befehlen darf,
wenn es Deine Rettung gilt. Man hat mich
auf das empfindlichste beleidigt, allein meine
Wachsamkeit nicht untergraben können; der Au=
genblick ist da, wo ich handelnd auftreten muß,
ich fühle die gekränkten Rechte meiner Geburt,
das ganze Gewicht unsrer edlen Herkunft, den
guten Ruf unserer Familie, und endlich Deinen
Frieden, Dein Lebensglück, Leopoldine, in mei=
nen Händen ruhen. Urtheile selbst, ob ich hier
unthätig zuschauen darf.“

Kaum hatte er das Blatt durchlesen, als
die unglückliche Gräfin wieder ihre Klagen an=
hub; er suchte sie zu trösten, erklärte ihr die
Absichten der Schwester, doch er mußte bemer=
ken, daß seine Worte nur noch stärkere Affecten
rege machten. „Also Sie auch im Bunde?“

rief sie, „auch einer meiner Wächter? Ich will nichts hören, zu unserm Hause will ich eilen, dort alles in Bewegung setzen, ich will —"

Christian trat jetzt herein, sie fuhr auf ihn los, mit dem Befehl, sogleich sie dorthin zu begleiten. In des alten treuen Dieners Gesicht lag eine seltsame Mischung von Unterwürfigkeit, Mitleid und angenommener Strenge. „Recht gern," erwiderte er nach einer Pause, „allein da Ihr, gnädigstes Fräulein, nun einmal meine Nichte seyd, so müßt Ihr abwarten, bis es mir gefällig ist, Euch dahin zu bringen; für's erste wird wohl nichts daraus werden."

„Gut!" rief sie, indem sie sich rasch umdrehte, und dunkle Flammen des Zorns das reizende Gesichtchen färbten, „diese Impertinenz soll Er mir büßen, ihr alle sollt euch nicht ohne Strafe so weit vergangen haben! Es ist eine beispiellose Unverschämtheit."

Christian näherte sich ihr, er schien bittend ihre Hand fassen zu wollen, doch in dem Moment erhielt er einen heftigen Schlag mit dem Fächer; der Alte verzog keine Miene. Nach einer Pause sagte er: „Als Ihr klein waret, liebes Fräulein, und der alte Christian Euch nicht etwas nach Willen that, da hat er auch manchesmal Schläge hinnehmen müssen; nun, ich will diesen Schlag zu den andern thun.

Was aber den Spaziergang anbelangt, so bleibt
Ihr diesesmal hübsch zu Hause; es würde sich
auch nicht schicken, in dem Kattunleibchen, wel=
ches Ihr anhabt, auszugehen."

Lessing versuchte auf's neue, seine Trost=
gründe anzubringen, doch das auf's höchste ge=
reizte Kind wollte durchaus nichts mehr hören;
sie warf sich in die Ecke des kleinen Sopha's,
hüllte ihr Antlitz in's Taschentuch, und blieb so
unbeweglich liegen.

***

Die große Stube bei der Frau Barbara
war besonders aufgeräumt und geputzt worden,
der Fußboden mit Sand und grünen Zweigen
bestreut, die metallenen Gehänge und Schlösser
an dem alterthümlichen Geräthe glänzend auf=
gefrischt; das große Bild an der Wand, den
Fenstern gegenüber, einen Reformator der
Kirche darstellend, ein strenges unerquickliches
Gesicht, mit einer Wolkenperücke, hatte eine
stattliche breite Einfassung von Wachholder und
Tannenzweigen erhalten. Weniger festlich wa=
ren die zwei kleinen Seitenbilder, Portraits von
Barbara's Vettern, ausgestattet. Die Gesichter

10

dieser Herren, von denen einer es sogar bis zu
einem Prediger in der Mark gebracht hatte,
waren auch in der That keiner größern Aus=
zeichnung würdig; sie ähnelten, was ihre Breite
und das dunkelrothe Colorit betraf, der einför=
migen ausdrucklosen Fläche eines tüchtigen west=
phälischen Schinkens, wo dann die grelle weiße
Perücke füglich die Speckseite darstellen konnte.
In der Mitte des Gemaches befand sich ein
Tisch, reinlich behangen, auf ihm eine große in
schwarzem Corduan gebundene Bibel, der zur
Seite ein Glas Wasser, zur Erquickung des
frommen Sprechers, stand. Eine kleine Hand=
orgel nahm das bescheidene Plätzchen an der
Thüre ein, das die überall hinvertheilten Bänke
leer ließen. Starkduftendes Räucherpulver hielt
sich, in blaue Wolken aufgelöst, in der Mitte
des Zimmers, und umfing Frau Barbarens
Gestalt, die sich in dieser festlichen Atmosphäre
mit kleinen knisternden Schritten und mit gro=
ßem Wohlbehagen herumbewegte. Ihre Auf=
merksamkeit war beschäftigt, hie und da noch
ein Stäubchen oder eine Feder abzukehren, und
dann über den Kanarienvogel am niedrigen
Fenster ein dunkles Tuch zu breiten, damit die
unvernünftigen Naturlaute dieser Creatur Got=
tes eine würdige fromme Unterhaltung nicht
stören möchten.

Diese Versammlung, die unter keinem Vor=
wand ausgesetzt werden durfte, war geeignet,
Christians Verlegenheit auf's äußerste zu trei=
ben, er hatte seine ganze Ueberredungsgabe, sein
ganzes Ansehen geltend zu machen gesucht, um die
schöne Gefangene zu überreden, sich mit unter
die frommen Gäste zu begeben, allein dieses An=
sinnen war von Leopoldinen rund abgeschlagen
worden. Der Gedanke empörte sie, einer Ge=
sellschaft anzugehören, die sie so oft selbst als
lächerlich oder verächtlich geschildert. Den gan=
zen Morgen hatte sie mit Weinen zugebracht;
die alte Barbara und Christian, die nicht von
ihrer Seite wichen, mußten abwechselnd die
ganze Heftigkeit ihres Charakters fühlen. Der
letztere zeigte eine unbezwingliche Geduld, so
wenig diese sonst in seinem Wesen lag; allein
Ehrfurcht, innige Ergebenheit für seine Herr=
schaft überwogen jetzt, da es darauf ankam, ihr
einen wichtigen und entscheidenden Dienst zu
leisten, alle übrigen Gefühle. Sogar die An=
hänglichkeit und den Gehorsam, den er den An=
forderungen der Secte schuldig zu seyn glaubte,
war er nach einem hartnäckigen Kampfe zwi=
schen seinem Gewissen und seinem weltlichen
Diensteifer, endlich entschlossen, diesesmal in den
Hintergrund treten zu lassen. Als daher die
Stunde schlug, wo Frau Barbara's Zimmer

sich mit ihren frommen Brüdern und Schwe=
stern füllte, bezog er seufzend seinen Wachtpo=
sten an der Thüre des kleinen Gemaches, in
dem die Gräfin sich befand.

Den Zug der Besuchenden führte die reiche
Wittwe aus Kamenz an, Frau Dorothea, die
mit ihrem Vetter Christlieb erschien, und von
Barbara mit auszeichnender Ehrfurcht empfan=
gen wurde. Die weite Fahrt, die sie nicht ge=
scheut hatte, bewies ihre Anhänglichkeit für die
Secte; ihr folgten andere Mitglieder, zum Theil
aus noch entfernterer Gegend; allein da sie we=
der an Ansehen noch an Reichthum sich mit der
Wittwe messen konnten, mußten sie sehen, daß
der Ehrenplatz nahe am Predigertischchen jener
eingeräumt wurde. Frau Barbara hatte für
diese ihr eben so theuren, doch nicht so be=
günstigten Schwestern und Brüder desto mehr
fromme Küsse und zutrauliche Handschläge,
welche denn herzlich empfangen und erwiedert
wurden. Ein Scharren mit den Füßen und
ein Geräusch, das jedoch nur bis zur Stärke
eines dumpfen Gemurmels anwuchs, verkündete
dem armen Christian in seinem daranstoßenden
Gefängniß, daß man jetzt an das Geschäft
ginge, die Plätze zu vertheilen; eine äußerst
langweilige Ceremonie, welche jedoch mit gewis=
senhafter Strenge beobachtet wurde. Die darauf

eintretende Stille ließ ihn vermuthen, daß jetzt
Alles seinen Platz gefunden, und der dünne
Kaffee seiner guten Schwester die Reihe herum
mache, der dazu bestimmt war, die Durstenden
zu erquicken, ohne zugleich ihren Geistern durch
eine zu gewürzhafte Mischung Ruhe und Be=
sonnenheit zu rauben. Es war Sitte, vor Be=
ginn der eigentlichen Andachtsübungen, der Pre=
digt, dem Gesange und den verschiedenen Re=
den, einige der Gemeine angehende Vorfälle
und Verhältnisse, zu besprechen. Die Männer,
die hierin vorangingen, hatten fast alle nach
einander dieses Recht in Anspruch genommen,
und es sollte eben auf die Frauen, die schon
lange darauf warteten, übertragen werden, als
sich der Leinweber Maths hervorthat, und mit
einer ehrerbietigen Verbeugung ebenfalls um
die Erlaubniß, sein Herz auszuschütten, bat.
Sie wurde ihm gewährt, und der dünne selt=
same Mann trug jetzt mit bewegter Stimme
seinen Wunsch vor, daß man ihn aus der Secte
wiederum entlassen möchte.

„Was soll ich es länger läugnen, setzte er
fast weinend hinzu, „ich fühle seit einiger Zeit
mich gleichsam von Gott und von Menschen
verlassen.“

„Wie das?“ nahm Christlieb das Wort,
„thut man nicht alles, seitdem Ihr unter uns

seyd, Euch das Leben ruhig und sorgenfrei zu machen?"

„Das ist's ja eben," erwiderte Maths, „diese Ruhe und dieses Glück vertreiben mich eben. Ich habe es jetzt mit dem Ernst und der Traurigkeit versucht, und will zu meiner alten Lustigkeit zurückkehren. Wie lange schon ist mir nichts Freudiges geschehen, wie lange hab' ich eine tüchtige Herzstärkung, wie ich sie wünsche, entbehren müssen? Selbst die Erinnerung an mein früheres Glück und die Erzählungen davon sind mir verboten; immer gleiche Arbeit, Erholung, ernsthaftes Gespräch, sorglose Ruhe und liebevolles Beisammenwohnen, nein, dergleichen kann keine schwache Creatur lange aushalten! Trübsinn und Ernst legen sich wie ein Panzer um die träge Seele, so daß der allerkräftigste und gutgemeinteste Schicksalsschlag sie aus ihrer unerquicklichen Starrheit nicht zu erwecken vermag. Nein, nur wer recht frisch und lebendig im Unglück sitzt, wie der Salamander im Feuer, der kann auf die Welt und ihre Erscheinungen ein stetes lebhaftes Auge richten, der spielt in den lustigsten Farben, nach allen Seiten hin, seine Thätigkeit aus, und ruht nicht eher, als bis das kräftige schöne Element, das ihn erhalten hat, ihn auch verzehrt. Ich glaube wohl, daß Ihr mich, Verehrte, nicht

ganz begreift, daß Ihr mich thöricht und einfäl=
tig scheltet; allein jeder muß nun einmal auf
seine Weise glücklich seyn können. Ich habe
mir nun diese Weise erwählt, darum entlaßt
mich immer, und denkt, daß nur wenig an mir
verloren sey."

„Hinter Eurer Thorheit, Freund Maths,"
nahm Christlieb das Wort, „ist mehr Schalkheit
verborgen, als Ihr uns glauben machen wollt.
Gesteht es nur offen, Ihr habt es gut, und
wollt's noch besser haben. Meint Ihr, wir
wüßten nicht, wie Ihr den großen Herrn nach=
schleicht, von ihnen Geschenke annehmt, und zu,
wer weiß es, was für Diensten Euch von jenen
brauchen laßt. Doch mag's seyn: was mich be=
trifft, ich gebe meine Stimme, daß Ihr mit Gott
gehen möget, wohin es Euch gefällt. Ein jeg=
licher Baum kann nur Früchte tragen nach sei=
ner Art, und die eurige scheint eben nicht son=
derlich zu seyn."

„Recht so, sehr ehrwürdiger Freund und
Bruder," rief Maths freudig, „scheltet nur recht!
Die Früchte, die ich trage, es sind auch in der
That holzige, elende Dinger, ohne sonderlichen
Geschmack und Farbe. Allein dafür steht das
Bäumchen auch draußen, im freien rauschenden
Wald, theilt mit den Brüdern Regen und
Sturmwind, hat es nicht so gut, unterm festen

warmen Glaskaſten zu wuchern, wie Ihr; in=
deſſen iſt ihm dann wieder erlaubt, ſeine Zweige
wie luſtige Arme frei nach dem Himmel auszu=
ſtrecken, indeſſen die eurigen hinter das ſtarre
Spalier ſich müſſen zwängen laſſen. Wie ge=
ſagt, ich hab's nun auch mit der Gartenluft
verſucht, und will wieder hinaus in den
Wald."

Die Geſellſchaft, welcher dieſe ganze Rede
mißfiel, gab, nach einigen Bemerkungen und
Einwürfen, einſtimmig ihre Bewilligung zu der
Entfernung des Leinwebers. Man ging jetzt
zu andern Gegenſtänden über. Nachdem die
angeſehenern Frauen ſchon das Wort geführt
hatten, nahm jetzt die alte Gertrud vom Schloſſe
die Gelegenheit wahr, um auf die Entfernung
eines zweiten mißfälligen Mitglieds der Secte
anzutragen; als man ſich hierüber verwunderte,
erklärte ſie ſich umſtändlicher.

„Ihr werdet, Geliebte," rief ſie, mich nicht
ſo böslich verkennen, als wäre ich ſelbſt dieſes
räudige Schaaf, welches ſich aus der Heerde zu
verbannen für nöthig hielte. Nein, Hochgeehrte,
mein Antrag bezieht ſich auf ein junges thörich=
tes Weibsbild, das nicht gegenwärtig iſt, mit
einem Worte: auf das Kammermädchen Babet.
Sie iſt nun völlig unheilbar verrückt; Vernunft,
Ermahnung, Predigt und gutes Beiſpiel iſt

durchaus an ihr verloren, nur durch eine derbe
Züchtigung kann sie gerettet werden, und einer
solchen wird sie nicht entgehen, denn das gott=
lose Ding will heirathen!"

Die ganze Versammlung flüsterte, und
Einige gaben laute Zeichen des Mißfallens.
„Ey, ey, Jungfer Gertrud," rief Christlieb, „das
Heirathen an und für sich ist keine so gottlose
Sache, ich will hoffen, daß sich die Mamsell ei=
nen ehrsamen tugendgelobten Freier wird er=
kieset haben."

„Einen Grenadier hat sie sich erwählt,"
entgegnete Gertrud seufzend, „und zwar einen
von sechs Fuß Länge!"

Die Frauen steckten bei diesen Worten die
Köpfe zusammen, und bei den Männern verzog
sich manches strenge Gesicht zu einem leichten
Anflug von Lächeln. Christlieb schüttelte das
Haupt, er schien noch auf eine Entschuldigung
für die Angeklagte zu sinnen; sein Nachbar, der
Schulmeister, jedoch rief mit strenger und lauter
Stimme: „Wenn dem so ist, so mag die Mam=
sell nur aufpacken und davongehen, ehe ich, für
meine Person, leide, daß einer von dem gottes=
lästerlichen Soldatenschwarm in unsere Gemein=
schaft eintrete, ehe scheide ich selbst heraus."

„Recht, Herr Gevatter, nahm ein großer
finsterer Mann, seinem Gewerbe nach ein

Großhändler, das Wort. „Kein Soldat in
unsere Nähe; kommt nicht alles Unheil im
Lande von Pike und Patrontasche her? Seit=
dem diese rohen Kriegsschaaren herrschen, seit=
dem unser König darauf denkt, ihre Anzahl
noch immer zu vergrößern, liegt Handel und
Gewerbe, und mit ihnen des Staates Wohl=
stand darnieder. Ich habe das Wesen jetzt
schon fast vierzig Jahre in der Nähe angesehen,
und ich sage Euch, es war nie so arg, wie jetzt;
und laßt nur erst den Krieg völlig hereinbre=
chen. Wie wird es dann seyn? Schon jetzt
sind die Wege und Stege mit Gesindel aller
Art besetzt, kein Wald ist sicher, kein Haus an
der Straße; überall erzählt man von Einbrü=
chen und Plünderungen, wo das Ohr hinhört,
Klage und Wehelaut. Unsere Stadt selbst ist
verwandelt und verändert. Die ewigen Para=
den und Manöver, das Exerzieren und Trom=
meln, Schießen, Fluchen und Commandiren
macht, daß man sein eigenes Wort oft nicht
versteht; dabei treibt alles bunt durch einander,
da ist kein Sonntag und Werktag mehr, jeder
Tag ist dem Gesindel recht. Es fehlt nur, daß
es uns vollends aus unsern Häusern wirft, so
wie sie es mit den armen Sachsen thun, daß
sie uns auch Tornister und Flinte umschnallen,

damit keiner von uns in der großen Puppen=
Comödie müſſig zuſchaue."

Dieſes Thema, eines der ergiebigſten, fand
volle Theilnahme, beſonders, da der alte Gre=
nadier, wie Einige den Kamerdiener nannten,
nicht gegenwärtig war. Ein paar Einwendun=
gen, die man zum Schein vorbrachte, entflamm=
ten den Eifer des Redners nur noch mehr,
bis derſelbe zu einem Grade ſtieg, welcher dem
beſſern Patrioten gefährlich und vermeſſen ſchien.

„Der König! der Staat!" ſchrie der heftige
Mann; „das ſind immer die hochklingenden
Worte, hinter welche ſich die Bosheit und Dumm=
heit heutiges Tages verſtecken. Was ſoll der
Unſinn heißen? Ich ſage Euch, gebietet mir
der König auch tauſendmal: du ſollſt deinen
Nächſten todtſchlagen, ihm das Haus über'm
Kopf anzünden, ihm ſein Hab und Gut rauben,
werde ich's thun? Ebenſo, was ſoll's mit dem
Gehorſam für den Staat? — Verdammt iſt,
wer dem Götzen dient, wegen irdiſchen Vor=
theils ſich dem Geſetz verkauft! Würde es wohl
ſo viel Elend auf der Welt geben, wenn nicht
die meiſten Menſchen ſich thörichter oder ſünd=
hafter Weiſe einbildeten, daß ſie dem ſogenann=
ten Vaterlande allerlei Opfer ſchuldig ſeyen?
Der Chriſt iſt auf die Welt geſetzt, um überall
ſein Vaterland, in allen Menſchen ſeine Brüder

zu finden. Wenn alle so dächten, so gäbe es
kein unglückliches Land, und kein ungerechter
tyrannischer König fände Leute, welche, den gött=
lichen Gesetzen zuwider, seine Befehle erfüllten.
Krieg und Elend hätte in der Welt ein Ende."

„Wie der Prediger Salomo gesprochen!"
rief ein kleiner dürrer Mann am Ofen, „das
Aergerniß kommt von den Großen, der Gerin=
gere muß folgen."

„Muß folgen?!" entgegnete der Sprecher
eifriger, „und wo liegt dieses Muß? Sehen
wir nicht alle, daß unseres Königs Befehle das
Unglück des Landes herbeigezogen? Der Va=
ter war schon so ein Soldaten=Narr, und er ist
es noch mit Hundert multiplicirt! Gebt ihm
nur nach, und er macht auch den Säugling
zum Soldaten, peitscht und trommelt alle in's
Verderben, und wandelt dieses schöne herrliche
preußische Königreich in eine große Kaserne um,
wo denn Abgötterei und Laster aller Art hei=
misch sind. — Ja, ja, laßt es nur so weit kom=
men mit Eurem Staat, Eurem Gehorsam und
Eurem König! Es wird der Jammer nicht
lange ausbleiben."

Christlieb erhob sich, und sagte: „Du sollst
dem König geben, was des Königs ist, der
Obrigkeit gehorchen, die Macht über dich hat."

„Trefflich!" rief der Eiferer, „allein es steht auch geschrieben: ärgert dich dein Auge, so reiße es aus und wirf es von dir. Wozu hätten wir die Einsicht und das Verständniß, weßhalb wäre uns denn das Licht ertheilt worden, wenn wir es frischweg im Sündigen und Lasterleben den andern nachthun wollten? Unser Königreich ist noch ein junger Staat, und solchem gebührt Arbeitsamkeit, Thätigkeit, äußere Ruhe, und vor allen Dingen Gottesfriede! — Ist von dem allem auch nur die leiseste Spur zu sehen? Soldat muß alles seyn. Kaum hat der Bube im Dorfe hinter der Schulbank zur Noth den lieben Katechismus hinuntergewürgt, und verdaut noch eben das Gebot: du sollst nicht tödten, so läßt ihn der König in die bunte Jacke stecken, und befiehlt: du sollst tödten; so geht denn der Bursche hin, und wenn er nicht tödtet, so wird er getödtet. Von den Kanzeln wird gebetet, daß die Kriegsmacht gedeihe, was will das anders sagen, als daß der Himmel zulassen möge, daß nur recht viele Leute um ihr Hab und Gut, ihr Blut und Leben gebracht werden. Vergeblich ist auch die Hoffnung, daß mit jenen Menschen später noch etwas anzufangen sey, wenn der Krieg vorüber. Der Soldat, hat er einmal die Früchte gekostet, die seine Pike so leicht vom fremden Baume bricht,

verliert die Lust, eigene groß zu ziehen. Geraubt
Gut ist ihm gewohnte Speise geworden, und
hat er keine Feinde mehr zu bestehlen, so be=
stiehlt er seine lieben Landsleute, wo er ihnen
nicht gar die Kehlen abschneidet. Und dieses
jetzige und kommende Elend sollen wir gedul=
dig mit ansehen, und wohl noch den Obern
mit Lobsprüchen überhäufen? Nein, das Ding
will beim rechten Namen genannt seyn, und so
sage ich denn: es ist eine Schande für jeden
Christen, diesem Könige Gehorsam zu leisten!"

„Tod und Teufel!" schrie jetzt eine Stimme,
„eine Schande wäre es, Euch nicht den Hirn=
schädel zusammenzuklopfen, theurer Gevatter und
Bruder!" Alle sahen hin, und erblickten Chri=
stian, der sich an der Thüre zeigte, und dunkel=
roth im Gesichte mit rollenden Augen jene
Worte ausgestoßen hatte.

Der Eiferer, als er den gewesenen Grena=
dier sich so plötzlich gegenüber sah, schwieg im
Schrecken, welche die drohende Anrede rings in
der Versammlung verbreitet hatte, ebenfalls ei=
nige Minuten, dann faßte er sich wieder, und
schien eben bereit, seinem Gegner zu erwiedern,
als dieser in seiner nachdrücklichen Strafpredigt
fortfuhr: „Ja, eine Schande ist es für jeden
ehrlichen Mann und Patrioten, Euer Scheuer=
lumpen=Gesicht, Herr Bruder, nur flüchtig

angesehen zu haben. Tausend Donner! Bursche,
das Höchste und Herrlichste, was der Preuße
hat, Vaterland und König, sein Blut, sein Le=
ben, davon spricht die Memme, als wär's ein
fauler Apfel. Freilich solch' Bubenpack — mit
Erlaubniß, Herr Bruder — hat kein Vater=
land nöthig, denn, Gott sey Dank, überall gibt
es dreibeinigte — nun ich will nur schweigen!"

Ein Theil der Anwesenden hatte sich beim
Beginn dieses Zanks erhoben, und Christlieb
rief jetzt: „Das thut auch, Freund, und gebt
Euch zufrieden! wie ist auch nur der Streit
unter Brüder gekommen?"

„Brüder?" schrie der Großhändler, „ich
nenne Niemanden Bruder, der es mit der all=
gemeinen Verderbniß hält, was sag' ich, der
selbst einmal zu den Dieben, Mördern, Plün=
derern, kurz: zum Soldaten = Gesindel gehört
hat. Ich rufe nochmals laut: durch diesen Kö=
nig, durch diesen Atheisten und Soldatennarren
ist das Reich in's Elend gestürzt! Die Gutge=
sinnten und Frommen müssen sich vereinigen
und gegen ihn zusammenhalten."

Kaum waren diese Worte ausgestoßen, als
der Eindruck, den sie auf den Kammerdiener
äußerten, alle Anwesende in Furcht und Schre=
cken setzten. Die ganze unbändige Wuth und
Hitze seiner Jugendjahre schien wiedergekehrt

und auf's neue den alten Körper zu beleben.
Sein Arm holte aus, mit Gewalt wollte er die
Masse durchbrechen, die sich ihm vordrängte, um
den Gegenstand seines Zorns zu erfassen; den
geöffneten Lippen fehlten die Worte, die Rechte
suchte nach dem Säbel, als gälte es, wie in
früheren Zeiten, dem Feinde auf den Leib zu
rücken. Endlich legte sich die erschütternde Wuth
des ersten Moments, und eine Stille trat ein,
um einer mit Wildheit gemischten Verachtung
den Platz einzuräumen. Hochaufgerichtet erhob
sich die stattliche Gestalt in der Mitte des Zim=
mers; ohne ein Wort zu sprechen, drängte sie
die Menge von sich, heftete die glühenden Blicke
auf ihren Gegner, löste endlich den langen
Zopf ab, der hinten auf den schwarzen Rock
herab hing, und ihn der Versammlung vor die
Füße werfend, tönten die Worte: „Da, ihr
Zopfträger! da, nehmt mein Abzeichen! Ich will
verdammt seyn, wenn ich länger in Gemein=
schaft mit Leuten stehe, die unsern geliebten Kö=
nig und mit ihm den Soldatenstand lästern!"
    Er sprach's, und wandte sich langsam um,
indem er der Thüre wieder zuschritt. Der Auf=
tritt hatte für die Anwesenden so viel Erschüt=
terndes gehabt, daß noch lange Zeit alle Blicke
sprachlos auf den hingeworfenen Zopf hafteten.
Es war Vielen, als sähen sie die Leiche eines

geehrten würdigen Mitglieds vor sich liegen;
endlich wurde er von zwei Frauen, in seiner
ganzen Länge, behutsam vom Boden aufgeho=
ben und dem Prediger auf das Tischchen ge=
legt. Der Eiferer nahm wieder seinen Platz ein,
jedoch nicht ohne daß mißbilligende Blicke ihn
mit stillen Vorwürfen verfolgten, die der hef=
tige Mann aber in voller Sicherheit und im
Stolz seiner ausgesprochenen Ansicht durchaus
nicht scheute; er schien nur zu bedauern, daß
sein derber Arm, sein untersetzter starker Kör=
per nicht Gelegenheit erhalten, die ihnen verlie=
henen Kräfte in einem kleinen Intermezzo von
Backenschlägen und Ellenbogenstößen zu zeigen.
Die Gemüther zu beruhigen, verfügte sich jetzt
Frau Barbara, die durch den Zorn ihres Bru=
ders, als Gastgeberin, sich heftig gekränkt fühlte,
an die kleine Orgel, und suchte den Kreis in
die rechte Stimmung wieder hinein zu orgeln.
Wirklich war ihr dieses, mit Hülfe einiger mit
in das Spiel einfallender singender Stimmen,
schon so ziemlich gelungen, als von neuem ein
fürchterliches Gepolter im Nebenzimmer losbrach.
Man hörte Christians Stimme, welche schrie:
„Sie ist fort, sie ist fort! Der Teufel hat sie
geholt!"

„Ja wohl hat der Teufel sie geholt,"
brummte der Eiferer, „nämlich Eure Vernunft,

11

Herr Bruder. In der That, das fehlte noch,
daß solcherlei Gezüchte sich unter uns einnistet.
Welch' Geschrei, welch' Gelärm!"

Die ganze Gesellschaft hatte jetzt ihre Plätze
verlassen, und drängte zur Thüre; Jungfer
Gertrud und Frau Barbara thaten vergeblich
Vorstellungen; das Toben und Gezänke wurde
immer ärger. Einige andächtige und schüch=
terne Familien nahmen sich fest vor, dieses Haus
des Unfriedens nie wieder zu betreten. Bei
Eröffnung des Nebengemachs zeigte sich eine
neue auffallende Gruppe: Christian hatte den
Leinweber Maths am Kragen, und schüttelte die
dürre Gestalt seines Gefangenen nach Leibes=
kräften; als er die Neugierigen hereinströmen
sah, schrie er ihnen entgegen: „Nur zurück,
nur zurück, ihr Freunde, was ich mit diesem
trefflichen edlen Manne zu thun habe, geht euch
weiter nichts an; orgelt und singt nur immer
weiter fort, ich werde nach meiner Weise auch
Musik machen. Potz Kroaten und Panduren,
ihr sollt sehen, daß ihr es mit einem alten Gre=
nadier zu thun habt."

Mit diesen Worten schob er die Andringen=
den zurück, und schloß die Thüre ab. Barbara,
die ihren Bruder, sein Thun und Treiben
heute nicht begriff, die nur so viel aus seinen
Aeußerungen ersah, daß die Gräfin entschlüpft

seyn müsse, fühlte sich selbst jetzt auf das hef=
tigste geängstigt und besorgt. Welche Folgen
konnte die Flucht der Dame für sie, für ihren
armen Bruder haben? Und wie war überhaupt
ein Entkommen möglich gewesen? Nothwen=
dig mußte der Zeitpunkt gewählt worden seyn,
wo sich der unglückselige Zank erhoben hatte;
allein in welcher Beziehung stand der Leinwe=
ber zu dem allem? Zu so wenig tröstlichem
Erfolge auch diese Erörterungen führten, so fand
doch die Wittwe für gut, die Aufmerksamkeit
ihrer Gäste, da diese einmal rege geworden,
mit dem Wesentlichsten bekannt zu machen. Die
meisten fanden sich hierdurch beruhigt; man be=
sprach sich über einzelne Umstände, und nach
Verlauf weniger Minuten gelang es dem jun=
gen Prediger, indem er geschickt an das eben
Vorgefallene seine Betrachtungen anknüpfte, die
Theilnahme wieder auf sich und den Hauptge=
genstand zu lenken.

Während auf diese Weise noch einzelne
kostbare Betrachtungen, gleich Schätzen aus ei=
nem Schiffbruch, gerettet wurden, rollte ein mit
ein paar muthigen Rossen bespannter Mieth=
wagen, in welchem der alte Christian und
der Leinweber Maths Platz genommen, in flie=
gender Eile aus dem Potsdamer Thor hinaus.
Der zornige Grenadier hielt es unter seiner

Würde, mit dem Sectirer auch nur das ge=
ringste Wort zu wechseln, bis beide auf dem
Schauplatz der ihnen bestimmten Thätigkeit an=
gelangt seyn würden. Dieser war kein anderer
als die erste Station von Berlin, wo der Wa=
gen endlich in ziemlich später Abendstunde an=
hielt. Christian faßte beim Aussteigen seinen
Gefährten beim Arm, damit er ihm nicht ent=
schlüpfte, und so stürmten beide in die bezeich=
neten Gemächer, wo sich die entführte Gräfin
befinden sollte. Hier trat ihnen ein Herr in
einen Mantel gehüllt entgegen, er schien durch
das Geräusch des anfahrenden Wagens auf=
merksam gemacht, und beobachtete mit scharfen
Blicken die Eintretenden; kaum hatte er den
Leinweber erkannt, als er auf ihn losstürzte,
und ihm einige unverständliche heftige Worte
zuflüsterte; zugleich faßte er einen Arm des
Mannes, und da Christian den andern nicht
freiließ, wurde der unglückliche Sectirer eine
zeitlang von seinen erbitternden Feinden auf das
unbarmherzigste herumgerissen; ja, sein Elend
zu vollenden, zogen beide in gleichem Moment
handfeste Stöcke hervor, und ließen sie unter
Flüchen und verworrenen Fragen auf dem Rü=
cken ihres Opfers tanzen. Endlich drang
Mathsen's Stimme durch).

„Ach, meine Herren!" rief der Gepeinigte, „wenn Sie wüßten, wie Sie durch diese Lieb= kofungen mich gleichfam wie neugeboren machen! Wie lange hab' ich nach dergleichen geſchmach= tet. O Himmel, wie gibt's doch keine größere Freude, als zwiſchen zwei recht tüchtigen Prü= geln mitten inne zu ſchweben. Aber halten Sie ein, auch in ſeinen Genüſſen muß man Maß und Ziel beobachten!"

„Elendes Narrengeſicht," ſchrie Chriſtian, „iſt jetzt Zeit zu Deinen Späſſen — wo iſt die Gräfin? Geſtehe, oder" —

„Laßt den Prügel fort, ſpäter werde ich mir wieder etwas davon ausbitten; behaltet die Speiſe nur friſch bei euch, in euren Händen wird ſie ohnedieß nicht ſo leicht kalt werden."

„Wo iſt die Dame?" rief der Mann im Mantel.

„Ich weiß es nicht, gnädigſter Herr Graf," erwiderte der Bedrängte, „und würdet Ihr mich zu Todte kareſſiren, ich wüßte es nicht."

„Graf?" brummte Chriſtian. Der Man= tel war dem jungen Manne entfallen, und der Kammerdiener erkannte den Grafen Felix. In Ehrfurcht wich er bei Seite, zog den Hut ab, und ſchien mit verdrießlichem Geſicht und ge= ſenktem Haupte zu erwarten, wie ſich nun das ärgerliche Räthſel löſen werde.

„Gott ſey gedankt," ſeufzte Maths, „jetzt
leitet ſich doch eine Erkennungsſcene ein, es wird
ohne Zweifel nun zur Verſtändigung beider
Theile kommen."

Der Graf, nachdem er einige Schritte durch's
Gemach gethan, blieb vor Chriſtian ſtehen, in=
dem er rauh und ungehalten die Worte aus=
ſtieß: „Was bringt Ihn hieher?"

„Der Befehl meiner Herrſchaft, Euer
Gnaden."

„Und wie lautet der?" —

„Hab' keine Ordre, Euer Gnaden, ihn be=
kannt zu machen," entgegnete der Alte, indem
er in der ſteifen Haltung eines Soldaten an der
Thüre ſtehen blieb.

Der Graf warf ſich verdrießlich in den
nächſten Stuhl. „So rede Du, Dummkopf,"
rief er nach einer Pauſe zum Leinweber, „Deine
Geſchicklichkeit iſt wahrſcheinlich ſchuld, daß ich
und jener Diener zugleich die Betrogenen ſind."

Maths lächelte: „Das wäre in der That
ein feines Spiel, oder um mich beſſer auszu=
drücken, ein feines Gewebe, zu fein für dieſe
groben Finger. Nein, wenn Euer Gnaden und
jener ehrliche Diener belieben, ſich zu den Ge=
täuſchten zu rechnen, ſo bin ich der eigentliche
Betrogene."

Christian hob den Stock und der Erzähler machte eine demüthige abwehrende Bewegung. „Als ich das Briefchen von Euer Gnaden,“ fuhr er fort, „in welchem der Plan zur Ent= führung, zur Flucht, Reise, mag man doch das Ding nennen, wie man will, ausführlich bezeich= net stand, der Gräfin glücklich in die Hände ge= spielt hatte —“

„Tod und Teufel,“ fluchte der Kammer= diener, „hinter meinem Rücken Briefe zu be= stellen!“

Ein gebietender Blick vom Grafen hieß ihn schweigen, und Maths nahm wieder das Wort: „Da galt es nur noch Eine Schwie= rigkeit zu überwinden, und die war nicht die geringste, nehmlich einen äußerst wachsamen Posten zu entfernen, der sich vor die Thüre des Gemaches, in welchem das gnädige Fräulein schmachtete, aufgepflanzt hatte.“

„Das war ich,“ schrie Christian, und der Teufel in Person hätte mich nicht von der Thüre weggebracht, wenn nicht jener elende, lumpige —“

„Laßt's gut seyn, der treffliche Patriot hat Euch nicht geschadet, und mir nicht genützt, denn als ich jenen zufälligen Zwist benützend eilig in's gedachte Zimmer eindrang, das schöne Fräulein in den schon bereitstehenden Wagen

zu heben, war kein Fräulein und kein Wagen
zu sehen. Euer Gnaden können sich meine
Verzweiflung denken; alles, was ich erforschen
konnte, war: daß ein altes eben vorbeiwanken=
des Mütterchen die Dame wollte gesehen haben,
wie sie mit einem Herrn eingestiegen und da=
vongefahren sey. Wie ich diese betrübte Post
einsammle, fällt jener edle Wüthrich über mich
her, erhascht das Billet an die Gräfin, das
noch daliegt, und zwingt mich sofort, die Fahrt
hieher zu machen. Was mich in meinem Elend
noch stärkte, war die Hoffnung, die Comtesse
vielleicht doch hier zu finden; allein auch dieser
Stern hat mich betrogen, und so hab' ich nun
wohl das meiste Recht, das Schicksal herauszu=
fordern und zu verwünschen."

„Du wirst Deinem Lohne nicht entgehen,
Spitzbube!" rief der Graf zornig aufspringend.
„Ihr fahrt beide sogleich mit mir nach Berlin
zurück; finde ich, daß Einer von euch gewagt
hat, mich zu täuschen, so werde ich ihn zu be=
strafen wissen."

„Und wer mich betrogen hat," brummte
Christian bei Seite, „dürfte ich ihn nur auch
meinen ganzen Grimm fühlen lassen. Bei mei=
ner Ehre, ein sauberes Stückchen! Wüßte ich
nur, was Wahrheit und was Lüge dabei ist;

aber hin ist hin, die Gräfin ist nun einmal
fort!"

Die Anstalten zur Rückfahrt waren bald
getroffen; als man eben den Wagen besteigen
wollte, langte der Prinz an, in Gesellschaft ei=
ner ältlichen Dame. Der Graf zeigte beiden
in kurzen Worten das Geschehene an. Man
stritt hin und her, endlich war der Entschluß
gefaßt, daß die Gesellschaft sich theilen sollte;
der Fürst und die Dame blieben im Posthause,
und der Graf fuhr nach der Residenz zurück.
Es war schon völlig Nacht, als man sie er=
reichte.

* * *

Zwei Wochen waren vergangen nach der
Flucht der Gräfin. Lessing, den dieses Ereig=
niß, obgleich er sich keine Schuld dabei zumes=
sen konnte, erschreckt und in Sorgen gestürzt
hatte, wurde bei Meldung des Vorgefallenen
durch die Antwort Clarissens beruhigt. Ob=
gleich sie über das unglückliche Geschick ihrer
Schwester sich beklagte, so schien sie gleichwohl
doch mit ihrer Entfernung aus dem Hause der
Frau Barbara einverstanden. Hatte sie nun
der Uebermacht ihrer Gegner sich gefügt, oder

waren veränderte Zwecke in's Mittel getreten,
dieses blieb dem dabei so lebhaft interessirten
Jünglinge unentschieden. Er durfte auch die=
sen Räthseln nicht tiefer nachgrübeln, da die
nun bald anzutretende Reise seine Thätigkeit in
Anspruch nahm. Die immer mehr sich bestäti=
genden Gerüchte vom nahen Ausbruch des
Krieges trieben den Edelmann zur Eile an. Es
wurde festgesetzt, daß man einige Tage auf
dem Landgut einer Verwandten des vornehmen
Gönners verweilen wolle, um dort an der
Grenze von Böhmen, dem Schauplatz der be=
ginnenden Feindseligkeiten näher, fernere Ent=
schlüsse und Pläne zu fassen. Unser Dichter,
der sich jetzt dem gewünschten Ziele so nahe
sah, fühlte sich auf das heftigste bald von Freude,
bald von einer quälenden Unruhe aufgeregt.
Die letzten unruhigen Begegnisse, Clarissens
Entfernung, jetzt die eigene Trennung von dem
liebgewordenen und gewohnten Schauplatze so
vieler Jahre, dazu das Scheiden von so man=
chen Freunden und Bekannten, und die unge=
wisse Aussicht in die Ferne beschäftigten und
verwirrten seinen Geist, indem sie das Erfreu=
liche, welches jenen Zuständen beigemischt war,
nur unvollkommen erscheinen ließen.

Mylius, der seinen Freund nicht aus den
Augen ließ, gesellte sich auch jetzt zu ihm, um

den Besorglichen zu erheitern und zu zer=
streuen. Der Philosoph hatte von dem ganzen
Ereigniß mit der Gräfin nichts erfahren, ebenso
wenig war es in der Stadt bekannt geworden,
und die jetzt allgemein eingetretene Unruhe und
Spannung verdrängte jedes andere Interesse.
Mylius sprach von der Madame Golzig, dem
Theater, und kam dann auf seine eigenen Hoff=
nungen und Aussichten. „Da jetzt,“ rief er,
„alles auseinanderstiebt, jeder in Erwartung
großer Dinge sich besondere und neue Verhält=
nisse sucht, so hätte auch ich nicht übel Lust,
meinen ganzen äußern und innern Menschen
um und um aus und durchzukehren; es müßte
eine spaßhafte Erscheinung geben. Wie wäre
es, wenn ich zum Beispiel Soldat würde?“

„An Muth und Entschlossenheit,“ entgeg=
nete Lessing, „fehlt es Dir durchaus nicht.“

„Ich könnte immer eine sehr würdige
Zierde in dem von Sir John Fallstaff auser=
lesenen Heerhaufen abgeben.“

„Was mich betrifft,“ nahm der Dichter das
Wort, „so werde ich meinen einmal betretenen
Weg ruhig fortgehen. Nur wenn wir die
äußern Verhältnisse, auch die scheinbar verwor=
rensten zu ordnen und zu beherrschen wissen,
können wir vom Nutzen der Erfahrung sprechen;

ohne solches Wissen geht uns das Kostbarste in eitel Stückwerk verloren."

„O ihr ewig Feststehenden und Unbeweg= lichen!" rief der Philosoph, „werdet ihr denn nie einsehen lernen, daß nur im steten unbe= wußten Rausche das Leben genossen seyn will? Daß die höchste und tiefste Kunst des Denkens darin besteht, wie man alles Denken vermeiden könne? Dieser Krieg, der alle in Furcht und Bewegung setzt, dient mir zur wahren Ergötz= lichkeit. Nun wird man sehen, wie sich unser gekrönter Philosoph benehmen wird. Und doch sind die Schlachten, denen er entgegen geht, nur Kinderspiele gegen die Kämpfe, die der Held in seinem Garten zu Sansfouci gegen den sechstau= sendjährigen Feind der Menschheit, gegen die kleine Frage: Warum? zu bestehen gehabt hat; freilich umgab ihn dort nur der Duft junger Frühlingsrosen, und hier wird Pulverdampf und das Brüllen der Kanonen ihn begleiten; aber ist er ein ächter Philosoph, so stellt er sich lieber den Kanonen gegenüber als jenem Wörtchen."

Die Freunde waren jetzt bei dem Garten der Frau Golzig angelangt; das Häuschen darin lag veröbet und einsam. Die letzten rau= hen Tage hatten die Bäume zum Theil schon entlaubt, zum Theil ihr schönes dunkles Grün in fahles Gelb verwandelt. Am Eingang zeigten

sich mehrere Gestalten in Mäntel gehüllt; es
war die Principalin mit einigen ihrer Schau=
spieler. Sie sprach gerade mit einem jungen
Manne, der in einem dürftigen Aussehen und
ziemlich zerlumpter Kleidung vor ihr stand. Die
Freunde traten heran, und sogleich wandte sich
die lebhafte Frau mit der Frage an sie: „Ha=
ben Sie, Herr Lessing, schon das Unglück ver=
nommen?"

„Schon wieder ein Unglück!" rief Mylius,
„ist denn die ganze Stadt auf's Unglück ver=
sessen?"

„Dieser junge Mensch," fuhr die Principa=
lin fort, „meldet sich eben zum Liebhaberfach;
er ist früher Schreiber gewesen; doch eine zu=
fällige Verstümmelung seines Fingers macht
ihn zu dem Geschäfte untauglich. Ich weiß in
der That nicht, was ich thun soll, denn ich bin
so eben in großer Verlegenheit. Mein erster
Liebhaber hat mir gestern aufgekündigt, er geht
unter die Soldaten; man hat dem albernen
Burschen weißgemacht, daß er ohne weiteres
die Hauptmannsstelle erhalten werde. Der
Thörichte ist jetzt fort, und hat mir zwei tüch=
tige Subjecte, von denen der eine Könige und
Tyrannen, der andere zweite Liebhaber spielte,
mitgenommen."

„Ey, ey!" rief Mylius, „das ist schlimm,
unser Theaterdichter geht nun auch fort, meine
Liebe."

„Auch fort?" wiederholte die Frau, „also
kommt es doch einmal zu der Reise, Herr Les=
sing. Nun, ich wünsche Glück, schreiben Sie
nur immer darauf zu Schauspiele, die Leute,
die im Krieg nicht todtgeschossen werden, laufen
mir am Ende doch noch in's Theater. Preußen,
Russen, Oestreicher, Franzosen, Schweden, es
soll mir alles gleich seyn."

„Sie wahre Cosmopolitin!" rief der Phi=
losoph.

„Und muß man dieß nicht seyn," entgeg=
nete die Dame, „bringt man es wohl weit in
der Welt bei andern Grundsätzen? Ich habe
das Leben von allen Seiten kennen gelernt,
und finde, daß alles, das scheinbar Ungefügigste
selbst, doch am Ende zu einander paßt. Grob
und fein, gelehrt und ungelehrt, wild und zahm,
alles hat seine Stellen, wo es sich einander nä=
hert, eines in das andere gleichsam sich ver=
liert; trifft man diese Stellen, so ist es eben
nicht schwer, mit den Menschen auszukommen.
Nur muß man überall nachgeben, im Nachge=
ben besteht die Kunst von unser Einem; und
haben wir denn zu rechter Zeit nachgegeben, so
sitzen wir doch am Ende oben drauf. Mein

kleines Theater war anfangs elend genug, ich
und mein alter Mann spielten alle Rollen,
grausame oder verliebte, gleichviel; da galt es
zu schmeicheln, den schlechten Poeten ihre Verse
abzulocken, deren Freunde und Gevattern Frei=
billets zu geben, vornehmer Herren Diener un=
entgeldlich einzulassen, Klatscher anzustellen, und
was es dergleichen Mittelchen der edlen Kunst
unter die Arme zu greifen, mehr gibt. Es ging,
und muß überall gehen. Die Zahl meiner Ge=
treuen wuchs, ich konnte meinen nackten Hel=
den Kleider kaufen und Stücke schreiben lassen,
bis ich's denn nun so weit gebracht, die Werke
eines so großen Poeten, wie Herr Lessing ist,
in der herrlichen Stadt Berlin, vor dem gan=
zen Adel und den Herren Offizieren, selbst vor
dem Könige, spielen zu lassen."

„Ja, ja," rief Mylius, Sie sind eine ge=
wandte Frau, Madame Golzig."

„Es könnten schon manche Leute von mir
lernen," bemerkte die Gelobte mit einem Sei=
tenblick auf den Dichter. „Doch wir sprechen
hier in kühler Zugluft; kommt herein, ihr
Herren, und nehmt mit einem Glas Punsch
vorlieb, so gut sich's eben findet, wir wollen
dann weiter über dieses Thema sprechen." Sie
nöthigte den zaghaften neugeworbenen Liebha=
ber, den andern nachzugehen. Als man in die

Stube eintrat, zeigten sich am Fenster sitzend zwei junge Schönen mit Taschentüchern an den Augen, wie es schien, in Thränen zerfließend. Ein paar andere Mädchen hatten am Tische Platz genommen, zwischen ihnen eine Schaale mit dem beliebten Getränk. Ein gutmüthiger freundlicher Mann, der die alten Rollen spielte, verwaltete hier das Geschäft, die leeren Gläser wieder zu füllen. Frau Golzig trat zu den Trauernden, indem sie sprach: „Nun, seyd nur guter Dinge, hier bringe ich euch einen neuen Liebhaber! Jener kriegerische Taugenichts hätte doch über kurz oder lang sowohl euch als mein Theater im Stich gelassen."

Ein paar Offiziere kamen jetzt eilig herein. Sie brachten Nachrichten aus Sachsen und vom Kriegsheer mit; alle drängten sich neugierig um sie. „Es ist richtig," rief der erste, ein hübscher Blondkopf, noch fast athemlos, „der Kampf geht los. Oestreich und die übrigen Länder mögen nur ihr Testament machen, ihre Herrscher haben lange genug das Scepter geführt."

„Erzählt, gnädiger Herr!" rief Frau Golzig, „doch seyd vorher so gütig und nehmt Platz; auch ein Glas Punsch müßt Ihr nicht verschmähen."

Der junge Mann stürzte ein volles Glas hinunter, und fuhr dann in seiner Rede fort:

„Es sind die merkwürdigsten Manifeste und Er=
klärungen in diesen Tagen hervorgekommen; so
viel ich deren gelesen, so handeln sie alle davon;
den Einbruch unsers Königs in Sachsen zu
rechtfertigen, und in der That kann man nun
auf das überzeugendste lesen, wie wir allein nur
Recht, und die andern alle Unrecht haben."

„Die Einschließung des sächsischen Lagers
in Pirna und die gewaltsame Besitznahme des
Archivs erregen die meiste Verwunderung und
Bewegung," setzte der andere Offizier hinzu.

„Und mit Recht," bemerkte sein Gefährte
eifrig, „es sind wahre Heldenthaten, unsterbliche
Unternehmungen. Es wird jetzt ein Festspiel
geben, die drei größten Reiche Europa's gegen
unser kleines Land bewaffnet zu sehen."

„Gott stehe dem König bei," rief die Prin=
zipalin, und leerte ihr Glas.

Der Marquis trat nun auch herein. Er
bestätigte jene Nachrichten, und fing an, da er
gekommen war, um Abschied zu nehmen, kleine
Geschenke unter die Theaterschönen zu verthei=
len. Die beiden verlassenen Liebhaberinnen
wurden hierbei am reichsten bedacht. Ihr Kum=
mer und ihre böse Laune schwanden zusehends.
Die Offiziere ließen nach alter Gewohnheit
ein gutes Abendessen mit Wein kommen, und
so war denn troß der schlimmen Nachrichten

12

bald wieder die ausgelassenste muntre Laune in den schon ziemlich eingeschmolzenen Kreis eingeführt. Lessing erkundigte sich nach Sabi= nen, und erfuhr, daß sie seit ein paar Tagen unwohl sey, und das Zimmer hüten müsse. Er entschloß sich, sie vor seiner Abreise noch aufzu= suchen, und stahl sich mit diesem Vorsatze aus der Gesellschaft fort, in der sein Freund Mylius zurückblieb.

An einem besonders schönen und heitern Tage verließ der Edelmann, in Gesellschaft unsers Dichters und des Knaben, die Residenz. Christian hatte die Erlaubniß erhalten, mitzu= fahren; man wollte ihn auf dem Schlosse jener Verwandten zurücklassen, denn es war in diesen Tagen die Nachricht eingelaufen, daß Clarissa sich daselbst befinde. Lessing erfuhr jetzt, daß die dort wohnende ältliche Dame zugleich dem gräflichen Hause verwandt war, ja es schien, daß der Edelmann durch sie mit den letzten Vorfällen und Ereignissen schon ziemlich ver= traut geworden. Die Reise ging ziemlich schnell von statten, so lange man auf preußi= schem Boden sich befand; es zeigten sich Schwie= rigkeiten, als die sächsische Grenze überschritten war. Die Landstraßen in Sachsen waren nicht selten durch Truppenmärsche versperrt; kriegerische

Anordnungen aller Art zeigten sich immer häu=
figer, und je mehr man sich der Hauptstadt
Dresden näherte, desto mannigfaltiger und be=
wegter gestaltete sich das Gemälde. Die Dör=
fer und kleinen Ortschaften, durch die die Rei=
senden kamen, waren mit Soldaten gefüllt; in
den Wirthshäusern, an den Tischen hörte man
nur von den zu erwartenden Händeln sprechen.
Offiziere von höherem und niederem Rang, eben
so unterschieden durch Alter wie durch Bildung,
zum Theil aus entfernteren Provinzen herbeige=
rufen, versammelten sich in den ersten Privat=
häusern; man schrie und lärmte: die wunder=
samsten Gerüchte wurden erzählt, und fanden
Glauben. Jedermann, der Besitzungen in Sach=
sen, Schlesien oder Böhmen hatte, mußte für
sie fürchten, denn es wurde von unerhörten
Brandschatzungen, Plünderungen und allen
Gräueln des wildesten Krieges, die zu erwar=
ten ständen, gesprochen. Der Edelmann, der
hie und da zu Gast geladen, nicht umhin konnte,
an diesen Gesprächen Theil zu nehmen, verlor,
so sehr er es seinem Gefährten zu verheimlichen
strebte, zusehends seine frühere Unbefangenheit.
Ihm war, vor nicht langer Zeit, ein ansehnli=
ches Landgut an der schlesischen Grenze durch
Erbschaft zugefallen; dieser Besitz machte ihm
jetzt Sorge. Von allen Seiten empfing er den

Rath, die Reise aufzugeben, jetzt, da er ihre Vortheile doch nicht mit Muse werde genießen können, um sich nachdrücklich seines gefährdeten Eigenthums anzunehmen. Der bedrängte Mann entschloß sich endlich, den Rath seiner Verwandten hierüber einzuholen, um nach ihrem Benehmen dann das seinige einzurichten.

Die Reise wurde indeß immer langsamer fortgesetzt; man ließ Dresden links liegen, und erreichte am Abend eines durch allerlei störende und hindernde Ereignisse beschwerlichen Tages endlich das alterthümliche Schloß, in dem die Baronin wohnte. Es lag, von einem Wäldchen geschützt, nur wenig entfernt von einem hübschen Dörfchen, durch das die Landstraße führte. Die Reisenden waren nicht wenig erfreut, das vorläufige erste Ziel ihrer Wanderschaft erreicht zu haben. Wie klopfte Lessings Herz, als er die Mauern erblickte, welche die Geliebte umschlossen hielten. Hier sollte er sie nun wiedersehen, in einem fremden Lande, unter fremder Umgebung, und wie durfte er sich Leopoldinen denken?

Bei der Ankunft im Schloß fanden die Reisenden wider Vermuthen noch manche Hindernisse zu besiegen; sie wurden mit Fragen aufgehalten, Boten wurden hin und her gesandt, und eine Menge Personen zeigten sich

geſchäftig, den Wagen und ſeinen Inhalt auf
das genaueſte zu erforſchen. Ein ſtarker unter-
ſetzter Burſche, der in einer halb militäriſchen,
halb bäuriſchen Kleidung ſteckte, ſuchte ſo gut
es gehen wollte, Plan und Ordnung in ſeine
verdrießlichen Unterſuchungen zu bringen. Nebenbei gab er ſich die Miene eines Mannes,
von deſſen Sorgfalt das Wohl des Landes in
ſo bedrängten Zeiten abhing. Des Edelman-
nes Geduld, durch dieſe Zufälle ſchon bedeutend angegriffen, wurde vollends erſchöpft, als
er bemerken mußte, daß ſeine Verwandte, mit
den Vorſichtsmaßregeln nicht zufrieden, ſich in
das Innere ihres Schloſſes, gleichſam wie hinter die Mauern eines belagerten Kaſtells, zurückgezogen hatte. Der große weitläufige Bau
ſchien völlig leer und ausgeſtorben. Die Ankömmlinge mußten durch dunkle Höfe, durch
ſpärlich erleuchtete Gänge und über finſtere enge
Treppen ſtolpern, ehe ſie in Gemächer gelang-
ten, die das Anſehen von bewohnten Räumen
hatten. Die wenige Dienerſchaft zeigte ſich jetzt,
und wurde vom Edelmann mit finſterm Geſichte
und von Chriſtian mit Flüchen empfangen. Es
wurde mehr Licht geſchafft, man trat in immer
wohnlichere Gemächer ein, und zuletzt öffnete
ſich ein großer ziemlich freundlicher Saal, deſſen
Wände rings eine anſehnliche Gallerie von

Ahnenbildern zierte. Hier beschloß man einst=
weilen zu bleiben. Der Edelmann, der seiner
Verwandten noch seine Aufwartung machen
durfte, wurde zu dieser geführt, und Lessing
blieb allein. Nicht lange, so vernahm er Chri=
stians Stimme, die rief:

„Bei allen Teufeln der Hölle, so ist der
verdammte lachende Pavian auch hier zu tref=
fen!" Der Jüngling öffnete die Thüre, und
der erhitzte Alte stolperte, mit ein paar Mantel=
säcken beladen, keuchend herein. „Ganz zum Ra=
sendwerden!" entgegnete er auf Lessings Fra=
gen, „das perfide Antlitz ist auch hier zu Hause.
Die Prügel, die ich ihm zwischen Berlin und
Potsdam brühwarm aufgezählt, können noch
nicht kalt geworden seyn, so kommt er mir schon
wieder vor die Fäuste."

„Von wem sprichst Du, Christian?"

„Von wem anders," tobte der Gefragte,
„als von jenem Heuchler und Pharisäer, von
dem Zopfträger, dem Leinweber Maths, von
demselben, der unsere schöne Gefangene dem
Grafen verrathen hat. Die blasse Unke steckt
nun auch hier. Beim Herausgehen, als ich
durch die dunkeln Maulwurfsgänge dieses alten
Nestes stolpere, fühle ich, daß etwas Langsames,
Schleichendes sich neben mir durchzuschroten ver=
sucht, sogleich tappe ich hin, und bekomme auch)

auf den erſten Griff eine dünne Kehle zu faſſen,
die ich friſch zuſchnüre. Da lacht und ſchmun=
zelt, wißpert und greint es, und ich erkenne
nun, daß der Sectirer in meiner Mache ſich
befindet. Flugs zähle ich ihm einige Stöße
auf, und frage dabei, was mir die Ehre und
das Vergnügen verſchaffe. Da lächelt das Stück
Narrheit, daß ich's in der Dunkelheit zu ſehen
glaubte, und ſagte: Ich bin hier, um die Hoch=
zeit der gnädigſten Gräfin mitfeyern zu helfen.
Als ich dieſe Worte höre, erhält das Mondkalb
ſogleich noch manchen herzhaften Druck mehr.
Und wen heirathet ſie? frage ich ſo ſanftmüthig,
als ich nur im Stande bin. Ei, entgegnet das
liebe Kind, denſelben ſchönen Herrn, der ſie, als
ihr, Trefflichſter, ſo gut Wache hieltet, über
Stock und Stein entführt hat. Jetzt ging mir
die Geduld aus, und meine Fäuſte haben den
Braunſchweiger Marſch auf dem Rücken der
Beſtie getrommelt. Ich will hoffen, er wird
daran denken, daß er mich an den miſerabel=
ſten Moment meines Lebens erinnert hat.
Weiß ich doch wahrlich nicht, mit welchem Ge=
ſicht ich vor die gnädige Comteſſe jetzt tre=
ten ſoll."

„Mit dem langweiligen alten Geſichte, das
Er bis jetzt immer gezeigt hat," ſpottete eine

laute Stimme, und die lustige Babet stand hin=
ter den Sprechenden. .

„Sie auch da!“ brummte der Kammer=
diener, „doch freilich, wenn die Ratte sich zeigt,
kann die Katze auch nicht fehlen.“

Babet stieß einen Schrei aus, indem sie
die Hände überm Kopf zusammenschlug. „Ciel!“
rief sie, „wo hat er denn seinen langen langen
Zopf gelassen? Das kurze Ding da ist jo etwas
janz nees.“

Christian stampfte mit dem Fuße: „Soll
mich denn alles an meine schwache Stunde er=
innern? Kind, rede mir nicht mehr vom Zopf,
oder ich mache ihn zu einem engen Halsbande
für Deine niedliche Gänsegurgel.“

„Jeeses!“ rief das Mädchen, „der arme
Mann ist nicht gescheit, seinen Zopf zu verlie=
ren, das eenzige Jute, was er noch am janzen
Leebe hatte.“

Christian hielt ihr den Mund fest: „Willst
Du schweigen, hast Du keinen Respekt vor dem
Sohn unseres Herrn Pastors hier, der jetzt ein
berühmter Mann ist?“

Babet machte, unter fortwährendem Lachen,
eine zierliche Verbeugung nach der andern:
„Monsieur, votre très-humble servante.“

„Daß doch irgend ein mitleidiger Kosack das
verdammte Mädel auf seiner Pike in die andere

Welt spedirte," schwaßte Christian weiter. „Rede, sag' ich Dir, was ist's mit dem verwünschten Schlosse hier, wer ist der Mann unserer Gräfin?"

„O Jott," entgegnete Babet, „so weit sind wir noch jar nicht; die liebe Comteß Polly ist noch immer dasselbe, was sie in der jettlichen Stadt Berlin war. Erst muß der König seine Permission zu der Mariage geben, und man wees nicht, ob er das thun wird."

„Weißt Du was, Babet, ich habe eine treffliche Mariage für Dich: einen Leinweber, mit Namen Maths; Donner und Wetter, das gäb' ein Pärchen."

Das Kammermädchen machte ein ernstes Gesicht. „Spotte Er nicht über den Maths," rief sie, „wenn er es mit der Herrschaft nicht janz verderben will. Es gibt keenen Menschen, der bei der Comteß Clarissa so in Gnaden stände."

„Das ist nun ganz zum Davonlaufen!" lärmte Christian. „Räthsel über Räthsel; wozu hätte ich denn den Elenden dreimal, viermal abgeprügelt?"

Der Diskurs wurde unterbrochen durch den Edelmann, der hereintrat, und von seiner Verwandten dem Dichter eine Einladung brachte, sich bei ihr einzufinden. Mit fast schüchterner

Erwartung folgte Leſſing. Auf dem Wege nach
den Gemächern der Damen ſagte der Edelmann
zu ſeinem Begleiter: „Sie werden, mein Freund,
jetzt ein junges liebenswürdiges Brautpaar ſe=
hen, das unter dem Schutz meiner Muhme ſich
hier aufhält."

Die Thüren öffneten ſich, und die Baro=
neſſe, eine ältliche würdevolle Dame, empfing
ihre Gäſte in einem mit allen Bequemlichkeiten
und koſtbarem Schmuck verzierten kleinen Sa=
lon. Nach den erſten Begrüßungen rauſchte
der Thürvorhang zur Seite auf, und Leopol=
dine hüpfte herein, an ihrer Hand führte ſie ei=
nen jungen ſchönen Mann in Uniform nach
ſich. Leſſing erkannte den Pagen; er war vol=
ler und bedeutender geworden, die reiche Klei=
dung hob die jugendliche Geſtalt auf das gün=
ſtigſte hervor, lebhafte Röthe färbte die Wan=
gen, und die muntern dunkeln Augen glänzten
Freude und Zärtlichkeit. Er näherte ſich dem
jungen Dichter eben ſo herzlich als freudig über=
raſcht. Es erfolgten jetzt mancherlei Fragen und
Erörterungen. Leopoldine ſchmollte noch etwas
mit ihrem Gefangenwärter, wie ſie ihn nannte,
dann aber ließ ſie ſich bewegen, ſeine Entſchul=
digungen gütig anzuhören, und zuletzt reichte
ſie ihre kleine Hand dem Jünglinge hin, der
ſie wiederholt an ſeine Lippen drückte. Der

Edelmann und die Baroneſſe weideten ihre
Blicke an der lieblichen Gruppe, die die drei
ſchönen jugendlichen Geſtalten zuſammen bilde=
ten; allein unſer Dichter vermißte die Haupt=
perſon. Auf ſeine Frage erwiderte Leopoldine:
„Clariſſa läßt ſich entſchuldigen, zu ihren des=
potiſchen Einfällen, die ſie mit ſo viel Anmuth
und Liebenswürdigkeit über ihre Umgebung zu
verhängen pflegt, gehört nun auch der, daß ſie
jetzt krank iſt; doch für Sie, Herr Leſſing, wird
ſie immer morgen noch ein freies Stündchen
haben.“ Sie wandte ſich zur Baroneſſe und
ſetzte mit einem ſchalkhaften Seitenblick hinzu:
„Nicht wahr, wenn dieſe beiden ernſten Herr=
ſchaften wieder zuſammen ſind, wird es von
neuem über mich hergehen. Ich kann nun ein=
mal dieſen Tugendhelden nichts recht machen,
und ich will es in der That auch nicht. Denn
ſagen Sie ſelbſt, ma tante, was ſpielen doch
die Tadler, wenn ſie nichts mehr zu tadeln fin=
den, für eine klägliche Rolle.“

Sie duldete hier den Kuß des jugendlichen
Geliebten, und auf einen Moment ſchwand jetzt
der Zug von boshaftem Muthwillen, der um
die reizende Wange und die friſchen Lippen
ſpielte. Sie eilte zur Thüre hin, und zog mit
Gewalt den alten Chriſtian, der dort lauſchte,
hervor, indem ſie ihm auf die anmuthigſte

Weise freundlich that, so daß der gute Alte, der
sich auf Vorwürfe und Zorn gefaßt gemacht
hatte, nicht wußte, wie er sich vor Rührung
und Ergebenheit gebehrden sollte.

„Nicht böse seyn," rief sie, „nicht böse seyn,
Alterchen! Ich habe Ihm wohl den Kopf ge=
waschen, nicht wahr, recht ordentlich? und sei=
ner alten Belle auch; aber ihr waret auch gar
zu garstige Karrikaturen, Er mit seinen Redens=
arten, und sie mit ihrem Kattunleibchen. Ich
hätte euch ganz gut vergiften mögen."

„Thut es nur noch," entgegnete er, indem
die hellen Thränen über die gefurchten Wan=
gen liefen, „es ist ja doch Zeit, daß ich einmal
abmarschiere, und ich will es lieber jetzt thun,
da ich die Ueberzeugung von Eurem Glück,
gnädigste Gräfin, mit in's Grab nehme."

„Immer galant," rief Polly, „immer ganz
Grenadier und Soldat!" Sie ließ ihn sich völ=
lig aussprechen, sagte ihm noch einiges Freund=
liche, und hüpfte dann zu ihrem Geliebten zu=
rück. Der junge Graf erhielt den Auftrag, den
Dichter als den ihm besonders zugetheilten Gast
bei sich aufzunehmen, und so schieden die beiden
jungen Männer, indem sie dadurch das Zeichen
zum allgemeinen Aufbruche der kleinen Gesell=
schaft gaben. Der Edelmann schied von seiner
Muhme mit dem Versprechen, sich bei guter

Stunde morgen wieder einzufinden, wo dann
die beiden Theilen so nahe angehenden Güter=
angelegenheiten auf das umständlichste bespro=
chen werden sollten.

Leſſingen erwartete ein viel anziehenderer
Gegenstand der Unterhaltung. Nur mit Mühe
gelang es ihm, seine Ungeduld zu bemeistern,
bis die Stunde erschien, wo die Sitte den Be=
such gestattete. Er fand seine schöne und edle
Freundin krank im Lehnsessel; ihr Antlitz hielt
eine ungewöhnliche Bläſſe umzogen, der Blick
des klaren Auges war getrübt, die reizende Ge=
stalt nicht wie sonst stolz und aufgerichtet,
doch die reinste Güte, die rührendste Sanft=
muth sprach aus ihren Zügen; sie bemerkte den
Eindruck, den ihr verändertes Wesen auf den
jungen Mann machte, trotz deſſen Bestrebun=
gen, ihn ihr zu verbergen. Gütig reichte sie
ihm die Hand, und bat ihn, neben ihr Platz
zu nehmen.

„Wir sollten,“ nahm die zarte Erscheinung
das Wort, „unser Leben nicht nach Jahren,
sondern nach den Schmerzen und Genüſſen zäh=
len, die uns zu Theil geworden: es fände sich
wohl dann, daß eine Stunde uns älter macht,
als ein ganzes Jahr, eine Minute uns oft um
eben so viel wieder verjüngt. Ihr Auge, mein
Freund, weilt mit Theilnahme, mit Besorgniß

auf mir; Sie finden mich wohl verändert, und ich will Ihnen nicht bergen, daß mir Kämpfe geworden sind, die zu bestehen ich mehr Kräfte anwenden mußte, als zu besitzen ich mir anfangs bewußt war. Doch der Wille wächst mit den Hindernissen, die sich ihm entgegensetzen: wie vermöchten wir denn überhaupt ohne ihn, wir schwachen Geschöpfe, mit den schwachen Mitteln, die uns zu Gebote stehen, nur irgend etwas Bestimmtes und Entschiedenes auszuführen. Allein nichts von allem dem! Es ist überstanden, ich habe mein Ziel erreicht; die Ehre meiner Familie ist gerettet, das Glück meiner Schwester gesichert, und mir wird das Bewußtseyn, im Sinne meiner guten edlen Mutter gehandelt zu haben. Die Pflicht, die mir Ihnen gegenüber jetzt obliegt, ist nicht zu rechtfertigen, rücksichtlich des plötzlichen Verschwindens Leopoldinens, welches, wie Sie jetzt selbst errathen werden, gewissermaßen auch mein Werk ist. Nicht Mißtrauen in Ihre Vorsorge und Wachsamkeit, mein treuer Freund, sondern lediglich ein neues drohendes Mißgeschick veranlaßte mich, die Gefangene ihrem Schutze wieder zu entziehen. Hören Sie mich ruhig an. So sehr sich meinen Beschlüssen der Eigenwille und die Leidenschaft des jungen Prinzen entgegensetzte, so wußte ich doch, daß mit freier Spielraum blieb, so lange

Leopoldinens Aufenthalt ein Geheimniß ihm so=
wohl, als seinen Verbündeten war. Ich trotzte
auf diese Sicherheit und bedachte nicht, daß mir
ein schlimmer Feind zurückgeblieben war, der
gegen meine inständigen Bitten und Vorstellun=
gen die Angelegenheiten meiner Gegner begün=
stigen half. Dieser Feind war jener Graf Fe=
lix, von dem Sie wohl schon gehört haben, ein
früherer Jugendgespiele vom Erbprinzen; er und
eine entferntere Verwandte des fürstlichen Hau=
ses gaben sich nun alle erdenkliche Mühe, mei=
ner Schwester Aufenthaltsort zu entdecken. Es
gelang ihnen nach einiger Zeit mit Hülfe eines
erkauften Spähers, der Niemand anders war,
als einer von jenen Sektirern, die sich in der
Gegend unseres Schlosses niedergelassen haben
und für kluge und arbeitsame Leute gelten. Ich
hatte diesem Menschen, der seinem Gewerbe nach
ein Leinweber ist, früher, wo er elend und höchst
bedürftig war, einiges Almosen zukommen las=
sen, und siehe da, diese magere Saat war be=
stimmt, mir die reichsten und herrlichsten Früchte
zu tragen. Dankbar erinnerte er sich meiner,
und als er nun einsieht, daß der Dienst, den er
jenem Herrn leisten wolle, ein Dienst gegen mich
sey, so beschließt die treue Seele im Geheim, mich
von Allem in Kenntniß zu setzen. Um Leopol=
dinens Schicksal wußte indeß noch Jemand, der,

wie sich jetzt erwiesen, wohl das größte Recht hatte, in meine Plane mit eingeweiht zu werden. Es ist dieses der junge Mann, den Sie gestern gesehen haben. Seine Leidenschaft für meine Schwester kannte ich wohl, doch mochte ich sie nicht begünstigen, einestheils weil beide, er so= wohl als sie, mir noch zu jung schienen, andern= theils, weil junge Officiere nur schwer von ihren Obern die Erlaubniß sich zu vermählen erhalten. Diese Gründe wurden doch jetzt durch den Drang der Umstände plötzlich beseitigt. Der junge Graf theilte mir jene Geständnisse des redlichen Secti= rers mit; er verband seine glühenden Wünsche mit der Aussicht auf das unabwendbare bro= hende Mißgeschick, und Sie können sich denken, mein Freund, daß hier mein Entschluß nicht ei= nen Moment wankte. Meine Antwort gab dem Glücklichen meine volle Einwilligung, ich legte das Glück meiner Leopoldine in seine Hand, und indem ich die Verlassene als seine künftige Gattin ihm zuführte, rief ich zugleich die Ehre und den Muth eines jungen, kühnen und edlen Herzens wach, sein erworbenes Eigenthum auf alle Weise zu schützen. Er hat meine Zuver= sicht nicht getäuscht; allen Gefahren trotzend, hat er sie mir sicher hieher geführt und erwa? nun die Stunde, wo es mir vergönnt seyn wird, die Liebenden in den vollen Besitz ihres Glückes zu setzen. Ich sage die Liebenden, und es scheint, daß ich vielleicht etwas zu voreilig Leopoldinens Herz und Neigung verschenkt habe. Doch ich kenne meine Schwester, ja ich kenne die meisten jungen Mädchen unserer Zeit, deren Glück eigentlich darin besteht, daß sowohl Liebe als Haß nie bei ihnen zum Bewußtseyn gelangen, und daß sie sich dann in ihrer Unbefangenheit heute zu Diesem, morgen zu Jenem überreden lassen. Der junge Graf ist ein schöner Jüngling, seine noch etwas blöde Ergebenheit schmeichelt sich desto tiefer in ein weibliches Herz, je mehr Muth, Entschlossenheit und Keckheit auf der andern Seite jene Eigenschaften unterstützen. Dabei ist er von untadelhafter Abkunft, Herr eines ansehnlichen Vermögens, und was mir über Alles gilt, in dieser verderbten Zeit ein reiner Charakter."

So sehr unsern Freund diese Mittheilungen beschäftigten, so mußte er doch für die Sprechende fürchten. Er suchte darum ihre Aufmerksamkeit von jenen sie näher angehenden Betrachtungen zu entfernen, und brachte darum das Gespräch wieder auf den Antheil, den der Sectirer bei der Rettung des Fräuleins gehabt. Er klagte hiebei sich selbst und seinen Mangel an Wachsamkeit an. „Doch," setzte er hinzu, „wer hätte auch jenem halb thörichten Manne

13

diefes planmäßige und durchdachte Handeln zu=
getraut."

„Mich felbft," entgegnete die Gräfin, „hat
es überrafcht. Ein Beweis ift mir diefe Erfah=
rung, wie oft wir uns in Beurtheilung der
Menfchen täufchen. Wie klug und befonnen
hat er das Werk begonnen und durchgeführt,
wie richtig fetzte er voraus, daß es nur dann
gelingen könne, wenn er fich des vollen Ver=
trauens beider Theile verfichert haben würde.
Unfere fowohl als des Grafen Belohnungen
hat der feltfame Mann hartnäckig ausgefchlagen;
in meinen Dienften will er bleiben, doch nur
unter der Bedingung, daß ich ihn wieder frei
gehen laffe, wenn und wohin es ihm gefällt."

Das fortgefetzte Sprechen hatte die Kranke
ermüdet. Die Bläffe ihrer Wangen nahm einen
noch gefährlichern Charakter an: fie mußte die
Schläfen mit ftarkem Waffer reiben, und wäh=
rend ihr Freund fie mit den fchmerzlichften und
aufmerkfamften Blicken beobachtete, lehnte fie in
die Polfter ihres Stuhles zurück, und lag eine
kurze Weile mit gefchloffenen Augen da. Der
Arzt trat leife in's Gemach, Leopoldinen folgte
ihm, und zog Leffingen mit fich fort.

„Ich darf," fagte fie in ihrer muthwilligen
Laune, „mit meinem ganz jungen Bräutigam
nicht fo lange allein feyn. Er hat fchon feit

einer Stunde, während die gute Tante nach
Genuß ihrer Morgenpastetchen eingeschlummert
ist, mir tausend alberne und verliebte Dinge ge=
sagt. Kommen Sie, durch Ihr ernsthaftes Ge=
sicht und Ihre wohlgepuderte Perücke müssen
Sie ihn in den geziemenden Schranken halten.
Zugleich bekommt die gute Clarissa Zeit über
neues Unheil zu brüten, das sie mir und mei=
nen Vertrauten gelegenheitlich dann zufügen
kann."

Der Dichter ließ sich von der Braut ins
Gesellschaftszimmer führen; hier war so eben
die Bonne angelangt, und beide alte Damen
begrüßten sich auf das förmlichste, indem sie
gleich nach den ersten Grüßen sich einander aus
den kleinen Porcellan=Möpschen Tabak anboten.
Der Page lag an einem Tischchen nachläßig
hingelehnt beim Schachspiel. Er sprang jetzt
auf und erkundigte sich nach Clarissens Befin=
den, und ob er ihr die Hand küssen dürfe.

„Nein," erwiderte Leopoldine, „und soll
denn durchaus alles im Hause geküßt werden?
Hier ist ein Dichter, Herr Ephraim Lessing,
dem können Sie Ihre Zärtlichkeit und Ehrfurcht
bezeugen, denn er ist ein großer Mann. Ohne
daß er gütig ein Auge zugedrückt, wären Sie
nie zu meinem Besitz gelangt."

Sie scherzte noch eine Weile so fort, und während die Freunde ein Gespräch anknüpften, fiel sie über die alten Frauen her, und hetzte in ihrem Muthwillen beide auf das anmuthigste aneinander.

———————

Indeß die Liebenden auf günstige Nach= richten, der Edelmann und die Baroneffe auf Briefe vom Verwalter ihrer Güter warteten, Clarissa vom Arzt im einsamen Zimmer zurück= gehalten wurde, fand unser Dichter genügend Zeit, sich mit der Gegend umher bekannt zu machen. Sein Trieb zu Spaziergängen war ihm hier nicht wenig förderlich. Sein liebster Ausflug war in das nahe Dörfchen, das trotz der späten Jahreszeit sich noch mit manchem gefälligen Reiz geschmückt zeigte, und in deffen wenigen Gassen ein stets wechselndes Treiben die Nähe größerer Städte und Ortschaften be= zeichnete. Besonders fehlte es dem vortheilhaft gelegenen einzigen Wirthshaufe nie an Gästen, die zu jeder Stunde mit großem Gefolge lär= mend ein= und auszogen, und den wohlbeleibten Wirth in steter Regsamkeit hielten. Lessing war seit einigen Tagen in die Zahl der regelmäßig

wiederkehrenden Besucher eingetreten, und ge=
noß darum die Ehre, einen vortheilhaften Platz
am obern Theile der besetzten Wirthstafel zu er=
halten, von welchem Standpunkt aus er auf
seine Weise die immer wechselnde Gesellschaft
beobachtete. Gemeiniglich bestand diese in Sol=
daten, selten zeigten sich niedere Beamte oder
reiche Bauern der Gegend. Manche ruhige
Gäste, die Jahrelang ihr bescheidenes Plätzchen
am Tische behauptet hatten, blieben in diesen
stürmischen Zeiten ganz fort. Zu diesen gehör=
ten vor allen Dingen die guten Patrioten, die
es nicht über sich gewinnen konnten, den harten
Reden über ihr Vaterland und ihren Fürsten,
aus dem Munde der ihnen aufgedrungenen
Gäste ruhig anzuhören. Der gefällige Wirth
suchte hier den Vermittler zu spielen, doch frei=
lich mit entschiedenem Unglück. Er war von
Geburt selbst ein Preuße, hatte jedoch in Sach=
sen Brod und Verdienst gefunden, und hielt es
deßhalb für seine Pflicht, zu Gunsten beider
Länder, wenn sich ein Streit erhob, auf unge=
schickte Weise, ein vermittelndes Wörtlein ein=
zulegen; konnte es aber unvermerkt geschehen,
so erzeigte er seinen Landsleuten alles nur
mögliche Gute, die es ihm jedoch eben so we=
nig dankten. Unter den immer wiederkehrenden
Gästen bemerkte Lessing einen alten Stelzfuß,

der feinen Ehrenplatz am Ofen hatte, felten fich
in's Gespräch mischte, wenn es aber geschah,
stets mit einer gewissen Ehrfurcht von den lär=
menden Soldaten angehört wurde.

Nach einigen Abenden, wo mehr Ruhe ge=
herrscht hatte, wurden die Debatten wiederum
auf's lebhafteste angeregt, durch das Gerücht
von einem neu errichteten Freicorps, das sich
in großer Schnelligkeit gebildet hatte, und unter
einem unternehmenden Anführer meistens aus
Leuten bestand, die nicht zu Soldaten erzogen,
sich durch den allgemein hinvertheilten Eifer,
und durch die Begeisterung für den Krieg ver=
leitet, in Eile zusammengefunden. Die wohl=
disciplinirten Soldaten spotteten jener Neulinge,
bei denen der Enthusiasmus die fehlenden For=
men ersetzen sollte. Man erwartete eine An=
zahl Mitglieder, dieses Corps am folgenden Tage
auf dem Durchmarsch im Dorfe zu sehen; sie
sollten dem Könige vorgeführt werden, und die
Spötter weissagten ihnen den übelsten Empfang.
Der Wirth, der einen Neffen, einen ausgelasse=
nen Burschen, mit darunter hatte, hörte die Lä=
sterzungen anfangs geduldig an, dann glaubte
er aber auf die Seite der Verspotteten treten
zu müssen, und brachte nun Entschuldigungen
und Lobsprüche auf, die ein unmäßiges Ge=
lächter verursachten.

„Es fehlte nur noch, Herr Wirth, „rief
ein sächsischer Unteroffizier, „daß sie Euch unter
die Helden aufnähmen. Wahrlich, das Bande=
lier über Euer gesegnetes Bäuchelchen müßte
sich trefflich ausnehmen."

„Wenigstens," entgegnete der Angegriffene,
„werde ich dem Feinde nicht Gelegenheit geben,
zu erforschen, ob es eben so gut hinten als vor=
nen mich kleidet. Wohl dem, der, so bunt es
auch herging, nie dem Gegner den Rücken zeigt,
der Ehrenmann mag nun Soldat oder Fürst
seyn, gleichviel."

Der Sachse fühlte gar wohl das Anzüg=
liche, das in diesen Worten lag, er versteckte je=
doch seinen Aerger hinter ein schallendes Ge=
lächter. Die Spöttereien über das Freicorps
gingen ihren Gang fort; endlich erhob sich der
Alte hinterm Ofen, und auf dieses Zeichen sei=
ner Theilnahme am Gespräch ward es augen=
blicklich still im Kreise.

„Ist denn mehr nöthig," rief er, „als daß
sie Preußen sind. Ein jeder Bursche von ih=
nen, wenn er es noch nicht gefühlt hat, wird
es jetzt fühlen, daß ein Gott, ein König, ein
Vaterland uns alle zusammenhält."

„Bravo!" schrie ein alter preußischer Cor=
poral, „das ist ja auch die ganze Hexerei. Wer
die drei Dinge nicht auf dem Papier, nicht in

alten Dokumenten oder Gebetbüchern, sondern
im Herzen und Gewissen beisammen hat, der ist
die eigentliche glückselige. Creatur. Eine jede
der andern Nationen hat jene Dinge einzeln,
oder nur Stück von den Stücken. Bei vielen
ist der König in tausend Stücke zerbrochen,
und so ein einzelnes Stückchen heißen sie dann
Churfürst, Herzog, Landgraf, oder wie so ein
zerbrochener Königsscherben sonst heißen mag.
In andern Ländern ist wieder der Gott in
viele tausend Heilige zersprungen, und was das
Vaterland betrifft, so können die meisten es nur
auf der Charte finden, wo es denn auch in tau=
send kleine bunte, gelbe, grüne, rothe Stücke
jämmerlich zerbrochen daliegt. Wir aber haben
alle jene Stücke in einem tüchtigen vollständi=
gen Ganzen beisammen, und folglich sind wir
besser als alle andere Völker, sie mögen heißen
wie sie wollen."

Der Sachse hörte diese Rede mit lauern=
den Blicken an, und als sie geendigt war, der
Wirth sowohl als die andern Landsleute des
Sprechers ihm ihren Beifall schenkten, murrte
er vor sich hin: „Wartet nur, man wird euch
schon in Stücke schlagen, daß es eine Lust
seyn soll."

Der Preuße, der diese Worte nicht hörte,
und nur die unwillige Miene sah, bot lächelnd

feine Hand dem Unteroffizier hin. „Nicht übel=
genommen Kamerad," rief das narbige freund=
liche Gesicht, „zwischen Wirth und Gaſt ſoll
immerdar Politeß herrſchen. Schickt doch unſer
gnädiger Herr ſelbſt nach Pirna, um ſich nach
dem Beſinden von Dero Hoheiten zu erkundi=
gen, obgleich er wohl vermuthen kann, daß ſich
Hochdieſelben verzweifelt ſchlecht beſinden. So
laßt auch uns mit einander leben; bedenkt doch,
zum Teufel, daß Ihr bei allen unſern Späſſen,
den jetzigen und den noch kommenden, hübſch
neutral bleiben müßt."

Der Sachſe reichte zögernd ſeine Hand hin.
„Nur zu," rief ein junger Preuße, „gebt nur
gutwillig die Hand, denn ſonſt haben wir Mit=
tel, ſie zu nehmen."

Alles lachte, und der Sachſe ſtimmte in
dieſe frohe Laune, wiewohl nur gezwungen,
ein. „Was kümmert uns," rief er nach einer
Pauſe, „ob die ſchleſiſchen Leinwandballen künf=
tig mit einem preußiſchen oder öſterreichiſchen
Stempel verſchickt werden, ob ſich die Herrn
Miniſter mit ihren betreßten Röcken am Hofe
der Kaiſerin=Königin unter einander herumbal=
gen, ob in Paris in der Oper preußiſche oder
öſterreichiſche Bärenmützen tanzen, und vollends
wie in Petersburg die Wettergläſer ſtehen; wir

find ruhige friedfertige Leute, arbeitsam und fromm, uns soll man nur ungeschoren lassen."

„Das wird man auch," rief der Corporal, „fahrt nur immer fort, eure Porzellanpüpp= chen zu drechseln. Die kleinen Dinger sehen so glatt und appetitlich aus, und die Pagoden sa= gen zu allem ja! ja! just wie eure Minister."

„Macht nur nicht," entgegnete der Ver= spottete, nachdem er das unmäßige Gelächter hatte austoben lassen, „daß sie endlich die Köpfe schütteln, sie verstehen auch das."

„Oho! dann hauen wir die ganze gläserne Garnison in Stücke," schrie der junge preußische Soldat, „die langweilige Sippschaft hat ohne= dieß lange genug auf dem Kamine gewackelt, und in Ruhe sich gespreizt."

Auf diese Worte war ein zorniger Blick des Sachsen ganze Antwort. Er wollte sich vom Tische erheben, doch der Wirth, der einen ernsthaften Streit voraussah, war schnell bei der Hand, eine Versöhnung und Ausgleichung zu Stande zu bringen. „Nein, nein," rief er, „man zerschlägt nicht das Hausgeräthe seines Wirths, zum Dank für dessen gute Bewirthung. Besonders wird Niemand jene artigen kleinen Figuren verderben wollen, die in der That nir= gends so zierlich als in unserm Meissen gemacht werden. Ich selbst besitze eine kleine Sammlung

folcher Püppchen." Er brachte nun schnell sei=
nen Reichthum hervor, stellte sie auf dem Tisch
auf, und die Soldaten nahmen sogleich einzelne
in die Hand, indem sie mit aufmerksamen und
lächelnden Blicken die kleinen, weißen, glatten
und bemalten Leiber durch ihre schmutzigen Fin=
ger gleiten ließen. Der Corporal griff nach dem
Püppchen des Königs von Polen. Nachdem er
es hin und her gedreht hatte, rief er: „Was
hat der Kerl denn für ein rothes Ordensband
am Halse?"

„Es ist kein Ordensband," entgegnete der
Wirth, „der Kopf war dem Dingelchen abge=
brochen, und da hat meine Christel ihn mit
Siegellack wieder aufgepflanzt."

Es wurde gelacht, und der Corporal rief:
„Trefflich, der Herr hat seinen Kopf verloren,
und da muß nun ein französisches rothes Bänd=
chen es wieder zusammenhalten helfen."

Der junge Soldat griff nach einem weibli=
chen Figürchen. „Das ist die Marquise von
Pompadour," erklärte der Wirth. „Pfui Teu=
fel!" rief jener, und ließ die Puppe auf den
Tisch fallen, „fast hätte ich an der Metze die
Finger besudelt."

Ein Bauerbursche nahm sie und betrachtete
sie wohlgefällig. „Ist doch ein Blitzmensch,"

bemerkte er, „was sie für rothe Backen und
stattliche Brüste hat.‟

„Recht, mein Sohn,‟ rief der Sachse,
„lobe nur, was zu loben ist; es ist verteufelt
leicht tadeln, wenn man's nicht besser zu machen
versteht.‟

Der Alte vom Ofen hatte sich herbeige=
macht, und langte mit zitternder Hand nach
dem Püppchen, das den König Friedrich vor=
stellte, in noch jugendlichem Alter. Er brachte
es verstohlen an seine Lippen, und sprach dann,
indem er die Figur vor sich hinstellte: „Ja, ja,
so stand er, so sah ich ihn stehen, als die Män=
ner den Sarg seines Vaters vor ihn hinstell=
ten. Da blickten ihn die ergrauten Krieger an,
gleichsam mitleidig, wie man ein Mägdlein an=
sieht, das bereit ist, allein und ohne Hüter in
die weite Welt zu gehen, und mancher dachte:
ja, geh nur, Prinzlein, bist jetzt König, aber es
wird dir sauer werden, die schwere prächtige
Krone zu tragen, nachdem der da im Grab sie
niedergelegt hat. Sieh' zu, Prinzlein, daß du
das Werk gut hinausführest, denn Aller Augen
blicken auf dich! So dachten die alten Grau=
bärte, die um ihn standen; aber als das Prinz=
lein jetzt die großen hellen Augen, die wie Got=
tes Sterne leuchten, aufschlug, und sich umsah,
da vermochte dennoch Niemand diesem Blicke

zu begegnen. Auch mich traf der Strahl, und
es war mir, als könne ich ihn deuten, als läse
ich, wie in einem prophetischen Buche, Vergan=
genes und Zukünftiges darin. Es war ein
Blick, wie nur er, nur er ihn hat, und dieser
Blick sagte uns allen, was wir wissen wollten,
so deutlich, als hätten wir ein hundert Mani=
feste vor uns liegen."

Während dieser Rede des Greises, die er
mit bewegter Stimme vortrug, herrschte eine
lautlose Stille; die glänzenden Blicke aller
Landsleute waren auf seinen nur mit spärlichen
Silberlocken bekleideten Scheitel gerichtet. Er
küßte die Figur nochmals, und stellte sie dann
wieder zu den übrigen.

Der Corporal, dem die ernste Stimmung
nicht gelegen kam, rief jetzt: „Gerechtigkeit muß
seyn überall, und das Gute darf nie ohne Lob
ausgehen; so habt ihr Sachsen denn auch den
Ruhm, die schönsten Weiber und Dirnen in
eurem Ländchen großzuziehen. Das haben wir
jetzt, da wir eure Gäste sind, erst recht einsehen
gelernt."

„Ja wohl," entgegnete ein Sachse mit ei=
nem unwillkürlichen Seufzer. Der Unteroffizier
sah vor sich hin und lächelte.

„Was habt Ihr denn da?" fragte der
Corporal.

„J nun!" war die Antwort, „es fällt mir, da Jhr die Schönheit unserer Weiber auf's Ta= pet bringt, ein lustiges Geschichtchen ein, das mir irgendwo ein junger Predikant erzählte, bei Gelegenheit, als ich noch das Schuster= handwerk trieb, und mich gerade auf der Wan= derung befand. Es zeigt den Grund an, weß= halb unsere Mädchen schöner sind, als die an= derswo."

„O erzählt!" rief der Wirth.

„Laßt hören," setzte der Corporal hinzu.

Der Sachse nahm mit der ihm eigenthüm= lichen schlauen Miene das Wort, indem er sagte: „Jener gute Predikant sprach einmal mit mir über das Paradies, und ich gestand ihm offenherzig mein Bedauern, daß dieser be= rühmte Garten Gottes so spurlos verloren ge= gangen. Das ist nicht der Fall, entgegnete mein Freund, er ist nur getheilt worden, und man trifft in den verschiedenen Ländern noch ansehnliche Proben seiner Herrlichkeit an. Als der liebe Gott nämlich an dem großen Garten, Harmonie genannt, Mißfallen fand, und Adam die Zettelchen an den Bäumen wegen Verbot des Tabakrauchens nicht achtete, Frau Eva überdieß vom Bürgermeisterbaum die seltenen Borsdorferäpfel abknickte, da schloß er die Har= monie zu, und die ganze Anstalt vor dem Thore

ging ein. Adam mußte mit Weib und Kind
jetzt in die Stadt ziehen, und Niemand durfte
sich Hoffnung machen, den Sommer oder Früh=
ling den schönen Garten wieder zu sehen. Er
wurde nebst Appartinenzien öffentlich untern
Hammerschlag gebracht, und es fanden sich alle
Völker der Erde ein, um etwas zu erstehn.
Der Hispanier, mit dem dicken Faltenkragen
und dem langen Zipfelbarte, bot etwas bedeu=
tendes für den hellen blauen Himmel, erhielt
ihn auch; der Schweizer kaufte die schönen ho=
hen Felsen; den silbernen Mond und die gol=
dene Sonne, die aber leider durch Adam sein
Tabakrauchen ein wenig schwarz angelaufen
waren, bekamen für ein Billiges die deutschen
Herren Kalendermacher, die sie auch sogleich
frisch in ihre Kalender setzten; den Burgermei=
sterbaum, der die Eigenschaft besaß, daß er Gu=
tes und Böses erkennen lehrte, kauften die Ad=
vokaten, um ihn zu verbrennen, damit Niemand
weiter Recht von Unrecht unterscheiden könne.
Die Holländer nahmen die seltenen Blumen,
den Sand aber kauften die Berliner, und bau=
ten darin ihre schöne Stadt auf.‟

Ein Gelächter erhob sich, und der Wirth
rief: „Trefflich! Ihr habt gut gezielt, und gebt
uns jetzt volle Ladung wieder zurück.‟

„Der Corporal fragte: „Nun, und wie blieb's denn mit der Schönheit der Weiber?"

„Die hat in Folgendem ihren Grund: Wie nun alles verkauft war, blieb nichts nach, als der Quell der Jugend, der sah aber so klar und jämmerlich aus, daß endlich, da Niemand ihn wollte, ein altes Mütterchen aus mitleidigem Herzen einen Groschen dafür bot, und ihn auch erhielt. Da sie aber des Wassers Kraft nicht kannte, kochte sie Abends ihre Kartoffeln damit, und schüttete endlich den Rest in die Elbe hinab. Der wundersame Quell mischte sich sofort mit den Fluthen des stolzen Stromes, und ertheilte von Stund an allen Mägdlein, die sich in ihm baden, jene liebliche Schönheit, welche wir annoch bewundern."

Der Schwank fand Beifall, selbst der Corporal stimmte ein, und das gute Vernehmen war in allgemeiner Heiterkeit völlig wieder hergestellt. Nicht lange so ertönte Trommelschlag; die Soldaten eilten fort, die andern Gäste zerstreuten sich ebenfalls, und der Wirth brachte seine kleinen Könige und Helden wiederum in Sicherheit.

Lessing, den das Gespräch und die lebhafte Scene beschäftigt hatte, ging jetzt, da es zur Abendgesellschaft im Schlosse noch zu früh

war, ein wenig vor's Dorf hinaus. Er ließ
die Hauptstraße links liegen, und kam, durch's
Rauschen einer nahen Mühle angezogen, an
das Ufer des Baches, der seine Wellen unter
überhängendem Gesträuch dahinfluthen ließ. Ein
Plätzchen auf einer Bank unter einem Baume
war dem Einsamen gerade gelegen; er nahm
Platz, und indem er auf das nahe Geräusch,
das die treibenden Mühlräder durch die Stille
tönen ließen, hinlauschte, versank er in Gedan=
ken. Die lieben Bilder der Heimath, das An=
denken der verlassenen Aeltern, stieg in ihm auf,
er wußte, daß sie ihn in weiter Ferne wähn=
ten, daß ihre Gebete ihm Glück und Segen
herabflehten: wie gerne wäre er sogleich zu ih=
nen hinüber geeilt, da er sich dem lieben Va=
terhause jetzt näher befand, als in Berlin.

Diese Betrachtungen störte der Tritt eines
Menschen, der, sich langsam durch die Gebüsche
Bahn brechend, an das Wasser heran kam.
Der einsame Wanderer mochte wohl nicht die
Gegenwart eines gleichgestimmten Gefährten
ahnen; er blieb darum am Bache stehen, und
unser Freund erkannte die gebückte Gestalt des
alten Christian. Er schwieg jedoch, und beob=
achtete jenen, der lange Zeit am Bache hin=
ging, stille stand, wieder fortging, und sich end=
lich erschöpft und keuchend auf einem Steine

14

am Ufer niederließ. Nach einer Weile hub er
an, seine Gedanken laut vor sich hin zu spre=
chen. „Alter," rief er, „ist es auch recht, was
du thun willst? — Wird's nicht besser und ehr=
licher seyn, du suchst die Kugel auf, als so ei=
nen elenden Mühlgraben? Aber werden sie den
alten Burschen, der nicht mehr gerade stehen
kann, auch annehmen? Nicht einmal zum todt=
geschossen werden ist er gut genug. Oder sollen
mich wohl gar die jungen Gecken in ihre Mache
nehmen, der Prügel eines Gelbschnabels von
Corporal mir auf der Nase tanzen? Nein, hol's
der Henker, lieber doch den Mühlgraben."

Er erhob sich, und das Antlitz dem Baume
zuwendend, wurde er jetzt erst gewahr, daß er
nicht allein sey. Finster in sich hinein brum=
mend wollte er zurück in's Gebüsch, doch Les=
sing hielt ihn auf.

„Bist Du toll, Christian?" rief er ihm zu.
Was treibst Du hier, alte Seele, in der un=
heimlichen Dämmerung?"

Der Kammerdiener blickte befangen und
verdrießlich um sich; vergebens strebte er,
allen Fragen auszuweichen, und sich zugleich
von dem Arme des Jünglings frei zu machen.
Als es nicht gelang, erwiderte er endlich:
„Nun, so mögt Ihr's wissen: die verfehlte Ex=
pedition, die der Leibhaftige uns hat verlieren

laſſen, iſt es, was mir das Herz abdrückt. —
Theurer, junger Herr, ich habe vierzig Jahre
dem Hauſe gedient. Wo es nur etwas zu ſchaf=
fen gab, gefährlich oder nicht gefährlich, ſchwer
oder leicht, da hieß es immer, der alte Chriſtian
muß daran; kann er es nicht, ſo kann's kein
Anderer, und jetzt — —" Er ſtockte laut=
ſchluchzend, und fuhr erſt nach einer Pauſe fort:
„Und jetzt hat mich ſo ein Lump, ſo ein Hanf=
ſtengel, ein Leinweber aus dem Sattel gehoben.
Ihr habt doch ſchon die verfluchte Hiſtorie
gehört?"

Leſſing errieth jetzt den Zuſammenhang, er
ſuchte den Alten beſtmöglich zu tröſten, doch er
wehrte hartnäckig jeden Troſt von ſich.

„Bleibt mir mit dem Geplapper vom Leibe,
Ihr wißt nicht, was vierzig Jahre dienen heißt.
Freilich andere Leute dienen auch, aber ich! ich!
— ſo mit Luſt und Liebe, mit wahrer Leiden=
ſchaft dienen, ſo gleichſam mit der ganzen Fa=
milie in Eins verwachſen, mit Vater, mit Bru=
der, mit Schweſter ſeyn, ſo daß man mit dem
alten Hauſe zugleich ſchadhaft wird und Riſſe
bekommt, und endlich, daß einem der Grashü=
gel dicht neben der herrſchaftlichen Gruft ge=
macht wird, damit bei der allerheiligſten Aufer=
ſtehung ſogleich der alte treue Diener wieder
bei der Hand ſey, um das Waſchbecken und

das Tüchelchen hinzureichen — nein, Herr, so dient Niemand anders, als nur ich allein. Und jetzt, begreift Ihr's jetzt, um solche Ehre bin ich für immer durch einen Lump gekommen. Er hat das Verdienst, unsere gnädigste Gräfin gerettet zu haben, er wird geliebkost, gehätschelt — still, still! laßt mich immer gehen, und seht mir nicht nach, wo ich verschwinde.“

Der Dichter mußte seine ganze Ueberredungsgabe anwenden, bis es ihm, nach langem Hin= und Herstreiten, endlich gelang, den eigensinnigen Alten in soweit zu beruhigen, daß er für heute alle Todesgedanken aufgab, und seinem Retter in's Schloß hinauf folgte. Hier schloß er sich aber in sein einsames Stübchen ein, und schwur, nicht hervorkommen zu wollen, und wenn selbst das ganze Haus in Flammen aufginge.

Einige der neuangeworbenen Soldaten waren angelangt, und hatten bei ihrem Erscheinen im Dorfe, theils durch ihr gutes Aussehen, mehr aber durch die Sparpfennige, die sie mitgebracht, die meisten Spötter zum Schweigen gebracht. Nur der Corporal fand seine schlimmen Erwartungen bestätigt. Er begegnete auf einem Gange Lessingen, und ihn freundlich grüßend, bat er ihn, zur Wirthstafel zu kommen,

um die Ankömmlinge in Augenschein zu neh=
men „Es ist Einer unter diesen Ellenrittern,"
setzte er lachend hinzu, „der, wenn er auch kein
guter Soldat ist, doch einen trefflichen Possenrei=
ßer und Lustigmacher im Lager abgeben kann.
Die heitere Creatur spricht, singt, schreit und
hüpft schon seit zwei Stunden ununterbrochen
fort, und kann nicht müde werden, die dünnen
Beine und Arme zu schwenken. Er ist frisch
vom Theater entlaufen; hört nur, da tönt uns
schon seine helle Stimme durch's Gelächter ent=
gegen."

Wirklich vernahm man kreischende Laute,
die sich vermischt mit Tönen eines einfachen In=
struments hören ließen. Bei Oeffnung der
Thüre sahen die Eintretenden, so viel die Wol=
ken des Tabacks es gestatteten, eine dünne Gestalt
sich mit äußerster Lebendigkeit vor den erstaun=
ten Gruppen der gedrängten Zuschauer bewe=
gen. Unser Freund erkannte den Liebhaber von
der Truppe der Frau Golzig, ja, er erstaunte
nicht wenig, als in dem bunten Gemische von
allerlei Stellen aus Oper und Tragödie, eben
jetzt auch sein Drama an die Reihe kam. Der
Deklamator ließ sich's große Mühe kosten, die
ganze verzweifelnde Rede Mellefonts zu seiner
Geliebten mit Pathos vorzutragen, und be=
wirkte dadurch ein erschütterndes Gelächter, das

er freilich nicht erwartet hatte. Einen Augen=
blick in seinem Eifer inne haltend, rief er dann:
„Meine Herren, was ich eben gesprochen, ist
aus einem berühmten Trauerspiel, von dem un=
sterblichen Lessing, dem größten deutschen Poe=
ten, den wir haben." Er wollte noch Einiges
hinzusetzen, allein der Lärm und das Gelächter
ließen ihn nicht zu Wort kommen; man ver=
langte allgemein, daß er tanzen solle, und so=
gleich fing er nach den Tönen der Musik wieder
die früheren Sprünge zu machen.

Unwillig und fast beschämt durch das er=
haltene seltsame Lob, zog sich Lessing aus der
tobenden Versammlung zurück. Nur wenige
Schritte vom Hause entfernt sah er Jemand ei=
lig auf sich zukommen. Es war eine Gestalt
in einen Mantel gehüllt. Er war unentschlos=
sen, ob er bleiben, oder der Annäherung aus=
weichen sollte; in dem Moment hörte er leise
seinen Namen rufen, und der Eilende stand
dicht neben ihm. Es war Sabine. Eine mehr
als seltsame Tracht machte das hübsche Mäd=
chen fast unkenntlich, ohne sie gerade zu ent=
stellen. Ueber ihrem Frauenrocke hing ein wei=
ter Offiziersmantel, unter dem ein Gürtel mit
Waffen hervorblinkte; auf dem vom Puder ent=
blößten glatt zurückgedrängten Haare schwebte
in kecker halbschiefer Lage ein Hut mit einem

stolzen flatternden Federbusche. Ihr Blick, mit
dem sie jetzt den treulosen Freund betrachtete,
glänzte vor Zorn und kriegerischer Wildheit.
Ruhig erwartete sie seine Anrede.

„Sabine!" rief der Erstaunte, „was bringt
Sie hieher, und in dieser Kleidung?" —

„Nicht wahr," entgegnete das seltsame
Mädchen, „die Maske ist nicht übel? So eine
Art von Marketenderin, ein Stück von einem
Soldaten, das bei Gelegenheit mit drein hauen
kann? Ja, beklagen Sie mich, liebster Herr,
das Schicksal hat mich erfaßt, ich bin das or=
dentliche vernünftige Leben satt; unsern Schau=
spielern habe ich mich angeschlossen, ja ich
könnte sogar jetzt etwas Großes und Bedeu=
tendes werden, so etwas Solides und Treffli=
ches, wie man es im gewöhnlichen Leben for=
dert und liebt, wenn ich nur wollte. Ich hätte
nur nöthig, den Hauptmann, der dieses Corps
errichtet, mit meiner Zusage zu beglücken; er
wirbt in vollem Ernst um mich, und will seine
Frau aus mir machen."

„Schlagen Sie ein, ergreifen Sie ihn beim
Wort, ehe er anderer Meinung wird; geben
Sie alles zu!" rief der Dichter.

„Schlagen Sie ein, greifen Sie zu, halten Sie
fest!" wiederholte das Mädchen in einem grim=
migen Tone. „Ja wohl, nur Treulosigkeit auf

Treulosigkeit, Schändlichkeit auf Schändlichkeit
gehäuft, und alles nur recht schnell, besonnen
und keck! Die kostbare Gelegenheit, eine Bü=
berei auszuführen, könnte ja wieder entwischen.
Ja, das ist so die gangbare Münze unter euch.
Nein, Herr Ephraim, greifen Sie zu, schlagen
Sie nur ein in die Hand der schönen Gräfin;
machen Sie nur, daß sie Sie mit ihrer adeli=
chen Robe verdeckt, damit der Pastor bei der
Trauung Sie nicht gewahr werde, um Sie nach
ihrem Stammbaum zu fragen. Die Mariage
kann dann noch ganz glücklich seyn. Die besten
Ehen sind die, wo man den Mann gar nicht
bemerkt."

Lessing mußte, trotz der seltsamen Laune
des Mädchens, lächeln. „Sie sind wieder voll=
kommen wahnsinnig, Sabine," sagte er, „was
schwatzen Sie mir da vor? Geben Sie Acht,
daß Ihnen Ihr Verstand nicht desertirt."

Er wollte ihre Hand fassen, doch sie ent=
zog sie ihm; als sein Blick sie schärfer fixirte,
bemerkte er, daß sie weinte.

„Das Geschick ist seltsam," hub sie nach
einer Weile wieder an. „Als Sie mich vor
vier Jahren in Leipzig zu der Madame Gol=
zig brachten, und zu ihr sagten: diese hier ist
arm, verstoßen und verlassen, geben sie ihr ein
Plätzchen auf dem Theater, lassen sie sie keine

Liebhaberinnen spielen, denn es ist fürchterlich,
wenn eine Verstoßene, Verlassene, Verachtete
liebt; lassen Sie sie Königinnen und Fürstinnen
spielen, die nicht lieben dürfen. Damals, als
Sie diese Worte vor vier Jahren sprachen, da=
mals dachte ich nicht, daß ich hier so vor Ihnen
stehen würde."

Lessing lachte. „Jene Albernheiten," rief
er, „sind nie über meine Lippen gekommen.
Ihr verdrehtes Köpfchen, Mademoiselle, hat stets
Ihr Unglück gemacht. Freilich hätten Sie auf
Ihre Weise thätig und nützlich seyn können,
allein wie schlecht haben Sie meine Mühe für
Sie gelohnt."

„Thätig? nützlich?" entgegnete Sabine,
„kann eine Schauspielerin jemals dieses seyn?
Dieser verachtete Stand, dieser aufgegebene weg=
geworfene Theil der Menschheit, was kann er
noch leisten? Wahrlich, die Wohlthat war sehr
groß, mich in die Hände jener Elenden zu
überliefern. O, mein verehrter Herr, hätten
Sie mir damals gesagt: du bist arm und ver=
lassen! aber arm und verlassen seyn ist keine
Schande, doch ehe du jene Bretter betrittst, von
denen kein Mädchen rein, kein Jüngling unver=
dorben wieder niedersteigt, erbettle lieber dein
Brod an den Thüren — dann hätte ich Sie
jetzt mit Dank überschüttet, dann wäre die arme

kleine Sabine jetzt ein ehrſames liebendes und
geliebtes Weib geworden, und dieſe luſtige Un=
terredung zwiſchen uns beiden wäre nie zu
Stande gekommen.“

„Sabine!“ rief der Jüngling ernſt, „wenn
Du wirklich meinen könnteſt, Recht zu haben,
mir ſolche Vorwürfe zu machen.“ —

„Nein, nein!“ ſchluchzte ſie, und brach in
Thränen aus, „ich habe dieſes Recht nicht, und
will auch keine Vorwürfe machen. Es iſt nur
gut, daß ich Sie noch allein getroffen habe, um
von Ihnen Abſchied zu nehmen. Morgen ziehen
wir wieder weiter. Laſſen Sie ſich nicht länger
aufhalten, oben im Schloſſe werden die Lichter
ſchon angezündet, es gibt wohl gar einen Ball,
ein munteres Feſt, oder etwas dergleichen. Le=
ben Sie wohl, ſchöner Herr, leben Sie wohl.“

Sie flog, ohne eine Erwiederung abzuwar=
ten, den Hügel hinab, ſo daß der Mantel im
Abendwinde ihr nachflatterte; bald war ſie den
nachſchauenden Blicken des jungen Mannes
entſchwunden, der durch den ſeltſamen leiden=
ſchaftlichen Auftritt erregt, nachdenklich in’s
Schloß zurückkehrte.

Der erste große Sieg der preußischen Waf=
fen im siebenjährigen Kriege war entschieden,
die Schlacht bei Lowofitz geschlagen worden.
Die fast doppelt so starke Armee der Oesterrei=
cher hatte sich zurückziehen, und den Eingang
nach Böhmen frei laffen müffen. Diese Nach=
richten und Berichte erregten allgemeine Bewe=
gung; auch auf dem Schloffe, in dem sich noch
unsere Reisenden aufhielten, faßte man jetzt ent=
scheidende Pläne und Entschlüffe. Der Edel=
mann erklärte seinen Willen, die vorhabende
Reise auf eine günstigere Zeit aufzuschieben;
er nahm hiebei mit seinem jungen Begleiter die
nöthige Rücksprache. Es sollten, nächst dem
Versprechen der möglichst baldigen Fortsetzung
der Reise, Entschädigungen an Geld folgen, um
für die verlorene Zeit und Mühe schadlos zu
halten. Leffing, der seine Lieblingshoffnung zer=
trümmert sah, zeigte sich zu allem bereitwillig;
es war ihm darum zu thun, die Freundschaft
des achtungswerthen Mannes nicht zugleich ein=
zubüßen, und wirklich erweckte sein thätiger Ei=
fer bei den Bedrängniffen und drohenden Ver=
lusten des Gutsherrn, sich ihm gefällig zu be=
zeigen, bei diesem die herzlichste Anerkennung
und den lebhaftesten Dank.

Es wurden jetzt Anstalten zur Rückreise
getroffen. Clariffa bat sich die Gesellschaft des

Dichters aus, die er ihr um so lieber gewährte, da ihr Weg sie zum gräflichen Schloße, unweit dem Wohnorte seiner Eltern führte. Das junge Brautpaar fühlte sich bei dieser plötzlichen Umge=staltung der Dinge am unglücklichsten; noch war die Erlaubniß vom Könige nicht angelangt; die Boten, die man ausgesendet, kamen unverrich=teter Sache zurück. Clarissa übernahm es jetzt wiederum zu trösten und zu beruhigen, doch es gelang ihr um so weniger, je mehr Tag auf Tag folgte, eine Stunde nach der andern da=hinging, ohne daß die ersehnten Papiere er=schienen.

Eine trübe regnigte Octobernacht machte diesen Besorgnissen ein Ende. Es mochte Mit=ternacht seyn; die Hausgenossenschaft hatte sich frühzeitiger als gewöhnlich zurückgezogen. Im einsamen Schloße erstarb die rege Thätigkeit des Tages, der dunkle melancholische Bau, mit sei=nen durch Gänge und Treppen verbundenen zahllosen Gemächern, sank allmählig in tiefe Finsterniß, nur daß hie und da noch ein ein=sames Lichtchen flimmerte, welches sein spärliches Leben dem mächtigen Reiche der Nacht entge=genzusetzen wagte. Unter die Bewohner des Schloßes, die so glücklich waren, eines ruhigen Schlummers zu genießen, gehörten nur wenige, ja es waren, wenn man die Dienerschaft ausnahm, vielleicht nur die beiden alten Frauen allein, die seinen Segnungen sich uneingeschränkt überließen; die eine, weil sie ihre Schätze, nach einem klugen Plane, jetzt völlig gesichert wähnte, die andere, weil sie keine Schätze besaß, ein Umstand, der in so unruhiger Zeit in der That eine Art von Glück war. Alle übrigen Bewoh= ner, besonders die jüngeren, befanden sich wa= chend in ihren Gemächern. Der Edelmann stellte in einem Stübchen, nach dem Hofe zu, mit seinem Secretär noch einige wichtige Pa= piere und Rechnungen zusammen. In Clarif= fens Gemach zeigte sich im Schimmer der Nacht= lampe eine rührende Gruppe. Die blasse hohe Gestalt der ältern Gräfin war, nach einem er= neuten Krankheitsanfall, endlich ermattet auf die Polster zurückgesunken, ihre Augen waren ge= schlossen, obgleich sie nicht schlief; das schöne schwarze Haar, vom Puder befreit, schloß mit seinen dunkeln Wellen die blendende zarte Weiße, die vollendeten Formen des Halses und der Schultern ein. An sie geschmiegt, das blonde Köpfchen am Busen der Schwester, lag Leopoldine; die Fülle ihres weißen Nackens bot dem umfangenden Arme Clarissens eine weiche reizende Stütze. Wie ein Kind, das er= schöpft vom heftigen Weinen an der Brust der Mutter einschlummert, so lag die kleine trostlose

Braut, die hochgeröthete Wange an die blasse
der Schwester gedrückt, an der Wimper noch
eine blitzende Thräne; das blonde Haar mischte
sein sanftes Colorit mit dem dunkeln, und die
zarten Arme hielten sich umschlungen. Schein=
bar war über das reizende Paar die süßeste
Ruhe ausgegossen, allein in dem Busen einer
Jeden lebte der ihr zugemessene Kummer völlig
wach. Dieselben Bilder der Sehnsucht und des
Schmerzes, die hier den Schlaf von einem so
holden Wesen verscheuchten, hielten ihn, wenige
Gemächer weiter, auch von dem Auge eines
sonst so fröhlichen und muthigen Jünglings
fern. Selbst der Dichter, vielleicht der ruhigste
unter den Bewohnern des Schlosses, hielt es
für Pflicht, den Kummer seines Freundes zu
theilen, um dadurch das Gewicht seiner Schwere
weniger drückend zu machen. Er saß daher am
Bette des jungen Grafen, ihm einen neuen
französischen Roman mit vielem Feuer und Aus=
druck vorlesend. Der alte Christian brütete in
seinem Kämmerlein über sein Mißgeschick, und
da er den, nur durch eine Bretterwand von ihm
geschiedenen, ärgsten Feind, den Leinweber, nicht
nachdrücklicher zu züchtigen im Stande war, so
brachte er seine Geige hervor, und begann durch
fürchterliche Mißtöne das Ohr des Sectirers zu

zerreißen, und jeden Gedanken an Schlaf von
seinem Lager zu verscheuchen.

Allein es darf hier ein Wesen nicht ver=
gessen werden, das die meiste Ursache zu haben
glaubte, unter diejenigen gezählt zu werden,
welchen ein gerechter Kummer den Schlaf fern
hielt: dieses war Babet. Nahe an einer kleinen
äußern Treppe des Schlosses befand sich ihr
Stübchen, und war daher das einzige, welches
nach außenhin Licht zeigte. Das arme Mäd=
chen hatte durch die Nachricht von der großen
Schlacht und durch ein dunkles Gerücht von
dem Tode ihres Grenadiers fast die Besinnung
verloren. Sie saß jetzt händeringend an ihrem
Bette, das sonst so fröhliche Gesichtchen tief auf
die Brust gesenkt, die, des Schnürleibes ledig,
ihre eben nicht dürftigen Reize unter fortwäh=
renden bebenden Seufzern entfaltete. Ermattet
waren die Arme, die beschäftigt gewesen, Schuhe
und Strümpfe von den niedlichen Füßchen zu
lösen, niedergesunken, das rothe Prachtkleid lag
abgestreift schon auf der Decke des Lagers, und
nur ein kurzes Röckchen umspannte den Leib,
den Blick auf ein paar wohlgeformte Waden
freilassend. Sie hatte auf einem Tischchen vor sich
die Briefe des Geliebten ausgebreitet, und in=
dem beide Hände beschäftigt waren, das Nacht=
häubchen zu ordnen und zu befestigen, ruhten

die Blicke abwechselnd bald auf diesem, bald auf
jenem Blatte. Die traurige Beschäftigung ver=
fehlte nicht ihre Wirkung zu äußern; die an=
fangs zurückgehaltenen Thränen stürzten jetzt
unaufhaltsam hervor, und sie warf sich auf die
Papiere, das Antlitz in ihnen verbergend, die
geliebten Schriftzüge mit Thränen näßend.

In dieser Stellung mochte sie eine geraume
Zeit verharrt haben, ohne zu hören, daß indes=
sen sich der Hufschlag eines Pferdes der Treppe
genähert hatte. In jenen unruhigen Zeiten
war ein von der Landstraße abirrender Reiter
nichts auffallendes; die Trauernde fuhr aber
jetzt entsetzt in die Höhe, als mit einem durch=
näßten Handschuh an die Scheiben ihres ver=
hängten Fensters gepocht wurde. Zitternd er=
hob sie sich, die Zaghaftigkeit ihres kleinen Her=
zens stritt sich mit der Klugheit des Köpfchens,
über die Frage: ob es nicht gerathener sey, das
Licht auszulöschen, um auf diese Weise dem un=
verschämten Störer jede Hoffnung, eingelassen
zu werden, abzuschneiden; doch der unterneh=
mende Mann, der nicht ohne Gefahr schon so
weit vorgedrungen war, hätte sich wohl am
Ende durch ein Hinderniß der Art nicht auf sei=
nem Wege aufhalten lassen. Während diesen Be=
trachtungen erneuten sich die Stöße an's Fenster
so heftig, daß das zitternde Kammermädchen

sich endlich entschloß, ein paar Fragen durch die geschlossenen Scheiben an ihren Bedränger zu richten. Eine dumpfe volle Stimme gab Antwort: „Ein Grenadier des Königs, der Einlaß verlangt." Das Wort Grenadier jagte das Blut auf die Wangen des Mädchens zurück; ohne zu bedenken, was sie wagte, schnell die schon abgelegten Tücher wieder umschlagend, öffnete sie das Fenster, doch sank sie in dem Moment mit einem Schrei zurück. Der draußen Stehende lehnte sich, so viel es seine Stellung und der enge Raum erlaubte, in's Fenster hinein, und schien seinerseits eben so erstaunt und verwundert. Sein Antlitz, von der Flamme hell beleuchtet, zeigte ernste kriegerische, obwohl jugendliche Formen, ein breiter Bart zog sich über die Lippen, nnd dunkles vom Regen durchnäßtes Haar hing unterm bebuschten Helme hervor. Der Arm des Kriegers langte in's Zimmer, und suchte sich der Hand des Mädchens zu versichern, doch dieses, durch die kalte Berührung wieder zu sich gebracht, erneute den heftigen Schrei, und flüchtete in die Tiefe des Zimmers zurück.

„John!" rief sie von hier aus, „jroßer Jott, Er kommt doch nicht, mich zu holen?"

15

„Freilich," entgegnete die breitſchultrige Geſtalt, „die Hochzeitgäſte warten, ſetze Dich zu mir auf's Pferd, und laß uns eilen!"

Babet ſtieß einen noch lebhaftern Schrei aus. Sie warf ſich auf's Bett und drückte ihr Antlitz in die Kiſſen; nach einer Pauſe hob ſie das Haupt langſam wieder hervor, und ſank, als ſie die dunkeln Augen ſah, die vom Fenſter aus unverwandt ſie anblickten, von Neuem in die Polſtern zurück.

„Dumme Jans!" tönte es von außen, „ſo ſchließ Sie mir doch auf, und laſſe Sie mir herein."

Das Mädchen erhob ſich: „Jott!" rief ſie, „ſeine reene jute Ausſprache! nee, es kann doch keen Jeiſt ſeyn." Sie näherte ſich dem Fenſter, der Soldat ergriff ſie, ſchlang ſeinen Arm um ihren Leib, und ſie zu ſich ziehend, drückte er einen herzhaften Kuß auf ihre Wange.

„Nu, mach auf, Lehngen!" rief er, „oder ich haue den janzen Bettel von Fenſter zu= ſammen."

Babet trocknete ſich die kalten Regentropfen von Wange und Hals, mit denen der Bart des rüſtigen Geſellen ſie beim Kuß überſchüttet hatte; übrigens war dieſer Kuß ſelbſt ſo wenig ätheriſcher Art geweſen, daß man unmöglich hätte vermuthen können, es seyen dergleichen Begrüßungen im Geisterreich Sitte; auch stand in Andreas Geschichte von einer so herzlichen Umarmung und der guten Laune des nächtlichen Reiters nichts. Das ängstliche Mädchen ging also allmählig von Schreck und Entsetzen auf ein eben so ausgelassenes Entzücken über.

„John," rief sie, „also Er ist keen Jeist? Ich darf es glauben, daß Er leibhaftig leben thut?"

„Narr!" entgegnete der Grenadier, „wenn Du's an meenen Kuß nicht gemerkt hast, was zum Henker soll ich Dir dann noch für Beweese geben, daß ich Fleisch und Beene habe."

„Es ist jut, halte Dich nur ruhig, ich will den alten Christian rufen gehen, er hat die Schlüssel zu dieser Thüre. O jöttliche Vorsicht, wer hätte das nur ahnen können."

Sie rannte verwirrt im Gemach umher, ergriff endlich das Licht und wollte zur Thüre hinaus. Der Soldat erfaßte sie. „Laß die alte Krabbe schlafen," rief er, „ich steige durch's Fenster, und habe dann noch ein halbes Stündchen Zeit, mit Dir zu plaudern."

„Nee, nee," entgegnete Babet, indem sie mit beiden Händen den Gast abwehrte, „sey Er kein zudringlicher Cujon, Er wees wohl, daß des nicht meene Passion ist." —

„Potz Tolpatsch und Pandur!" fluchte jetzt der Ungeduldige, „bin ich nicht Dein Bräuti= gam? und willst Du warten, Mädel, bis eine Kanonenkugel mich um ein Kopf kürzer macht? Doch dann werde ich kommen, gib Acht, als ein blutiger Geist, und Dir keine Ruhe lassen."

Die letzte Drohung wirkte mächtig auf die arme bedrängte Schöne, ihre ganze Zärtlichkeit erwachte, und führte ihr die Momente des über= standenen Schmerzens wieder in's Gedächtniß. Der rüstige Geliebte war unterdeß, keine wei= tere Erlaubniß abwartend, mit einem Sprunge im Zimmer, und sah sich mit Augen, in denen Neugier und fröhlicher Muth glänzten, in dem kleinen behaglich erhellten Raume um. Seine Blicke weilten auf den schon abgelegten Klei= dungsstücken, und unter eben nicht ganz zarten Scherzen zog er seine Schöne auf den Schoos. Die Schloßuhr ließ jetzt in langsamen Schlägen Mitternacht ertönen. Babet schreckte von neuem zusammen; der Gedanke, daß der, der sie jetzt umarmt hielt, viele Meilen entfernt in Ungarn aus seinem Grabe zu ihr gekommen, erregte die lebhafte Phantasie des unglücklichen Mädchens wiederum so heftig, daß sie in Thränen aus= brach. Der Soldat konnte aus seiner wunder= lichen kleinen Braut nicht klug werden, er schnallte langsam und unter Kopfschütteln den

kalten schweren Küraß ab, und indem er ihr
Haupt an seine warme bewegte Brust drückte,
gelang es ihm in dem Streit, den Todesgrau=
sen und Zärtlichkeit im Busen des Mädchens
führten, die letztere endlich siegen zu machen.
Sie überließ sich seinen Liebkosungen, und wäre
zuletzt nicht im Stande gewesen, sich ihnen zu
entziehen, wenn auch die gefürchtete unheimliche
Abkunft des Geliebten ihr klar geworden wäre.

Am Morgen erfuhr die ganze Bewohner=
schaft des Schlosses die freudige Botschaft,
welche der Grenadier mitgebracht, nämlich die
Einwilligung des Königs zu der Vermählung
des Grafen. Sie war in wenigen aber freund=
lichen Worten in einem Briefe an Clarissen
enthalten, und bald nach der Schlacht abgeschickt.
Die Freude des großen Mannes über seinen
erfochtenen glänzenden Sieg leuchtete zugleich
daraus hervor, und erfüllte das Herz der Lie=
benden mit dankbarer Rührung. Es wurden
jetzt Anstalten zu der Trauung gemacht, bei welcher
nur wenige Zeugen, außer den schon im Schlosse
befindlichen Freunden und Verwandten, zugegen
seyn sollten. Auf besondere Fürbitten des jun=
gen Grafen durften auch Babet und ihr Geliebter
an dem nämlichen Tage den priesterlichen Segen
zu ihrem Bündnisse empfangen. Die alter=
thümliche Schloßkapelle, einst der Schauplatz

großer Familienfeste und Ceremonien, nahm
nach langer Zeit wieder zwei glückliche und ge=
schmückte Paare in ihren Mauern auf. Nach
Clarissens Angabe hatte man Säulen und Altar
auf das zierlichste ausgeschmückt, die ganze Die=
nerschaft war beschäftigt gewesen, und vor allen
Dingen zeigte der alte Christian einen uner=
müdlichen Eifer. Er erhielt, durch Lessings
Vermittelung, der den verzweifelten Zustand
des alten treuen Dieners bekannt gemacht hatte,
jetzt von seiner Herrschaft vielfältige Beweise
von Huld und Erkenntlichkeit; dennoch konnte
er es nicht lassen, bei Gelegenheit des Glück=
wunsches seinem Kameraden, wie er den Gre=
nadier John nannte, zuzuflüstern: „Höre, lie=
ber Junge, ich sage Dir nur das Eine, laß
Dich todtschießen, je eher, je besser, nur werde
nicht alt, mein Sohn; denn siehst Du, ich
könnte Dir fürchterliche Geschichten erzählen
von einem alten ehrlichen Diener und Solda=
ten, dem später, weil er die Dummheit hatte,
alt zu werden, ein Lump, ein Bierkäsegesicht,
eine Häringsrippe, mit einem Worte, ein Lein=
weber vorgezogen wurde.“

Es war ausgemacht worden, daß das
junge Ehepaar für's Erste zum Schutz der Tante
auf dem Schlosse zurückbleiben sollte; Babet
trat jetzt in die Dienste der neuen Herrschaft,

sie wußte es durch ihre Schmeicheleien beim
Grafen dahin zu bringen, daß er es über sich
nahm, einen Stellvertreter für den Grenadier
bei dem Heere abzusenden; allein John wehrte
sich gegen dieses Ansinnen auf's hartnäckigste.
„Nee," rief er in seiner offenen Soldatenmanier,
„daraus wird nichts, bei unser einen kommt
zuerst die Ehre, dann wieder die Ehre, und
zum drittenmal die Ehre, und dann erst die
Frau, nebst anderm Anhängsel an die Reihe."

Der Edelmann nahm seinen Weg zu seinen gefährdeten Besitzungen, und Clarissa blieb
bei ihrem Entschlusse, in dem Elternhause, wo
sie eine glückliche Kindheit verlebt hatte, Ruhe
und Erholung nach den bekämpften Stürmen
aufzusuchen. Die alte Französin, Lessing und
ein Bekannter der jungen Gräfin, den man
aus einem nahegelegenen Orte abholen wollte,
waren bestimmt, ihre Begleitung auszumachen.

Vor der Abreise sollte jedoch unser Dichter
noch durch einen traurigen Vorfall erschreckt
werden. Er erfuhr, daß die Schauspielerin
Sabine auf eine seltsame Weise ihren Tod gefunden. In dem Wirthshause des Dorfes,
welches er nach jenem lärmenden Abende nicht
wieder besucht hatte, wußte man ihm nur un-
zusammenhängende Berichte zu ertheilen. Es
ging aus diesen hervor, daß sich das wunderliche

Mädchen in das tollkühne Unternehmen einge=
lassen habe, einem als Spion erkannten Flücht=
ling aufzupassen, um ihn, in Gesellschaft mit
ein paar verwegenen Burschen des Freicorps,
mörderisch zu überfallen und niederzustrecken.
Das Unternehmen, schien es, war gescheitert,
Sabine durch einen Pistolenschuß des Verfolg=
ten getödtet worden, indeß ihre Gefährten Zeit
bekommen, sich zu retten. Einer von diesen war
der lebhafte junge Mann, den Lessing an jenem
Abende vor der Menge hatte deklamiren hören.
Als der Enthusiast den Dichter ansichtig wurde,
stürzte er, mit Vergießung heißer Thränen, an
seinen Hals; er konnte lange nicht zu Wort kom=
men, als endlich der Sturm seiner für diesesmal
ungekünstelten Empfindung sich legte, brachte er
die zärtlichsten Gefühle, die glühendsten Lob=
sprüche auf die Verstorbene vor. Auch ihr ver=
zweifeltes Unternehmen stellte er als eine rüh=
rende Heldenthat auf. „Sie war,“ setzte der
Tragiker seine Rede fort, „unsere kriegerische
Muse, die verkörperte edle Begeisterung, welche
uns alle erfüllt, seitdem wir aus einem zweck=
losen unordentlichen Leben zu einem ehrenvol=
len begeisterten Beruf zusammen getreten sind.
Der schändliche Verräther, den wir hier entdeckt
hatten, war nicht werth, durch ihre Hand zu
fallen, so wie er nicht werth war, daß ich in

Berlin, am Tische der Madame Golzig, aus ei=
ner Flasche mit ihm getrunken habe."

Lessing fragte verwundert nach dem Na=
men des Mannes.

„Kein Anderer," war die Antwort, „als
jener blasse, tückische, prahlerische, gimpelhafte
Franzose, der sich gewöhnlich von uns Marquis
nennen ließ, und der höchst wahrscheinlich ein
verlaufener Schneider war. Er hat jetzt seinen
Lohn dahin, und die Leute, die ihn im nächsten
Orte an seiner Verwundung haben sterben se=
hen, versichern, daß er alle jene kostbaren Re=
geln des Anstandes, die er uns gepredigt, ziem=
lich stark aus den Augen gesetzt habe. O, kom=
men Sie, verehrter Herr Lessing, Sie müssen
die Stelle sehen, die wir der armen kleinen
Miß Sara Sampson zum kühlen Ruhebettchen
ausgesucht haben. Morgen in der Nacht, ehe
unser Corps weiter geht, bringen wir das liebe
Kind in aller Stille zur Ruhe."

Er zog mit diesen Worten den Dichter mit
sich fort, bis beide jenes Plätzchen am Bache
erreichten, welches unserem Freunde von seinem
einsamen Spaziergange her noch sehr wohl be=
kannt war. Unter dem Lindenbaume, an der
Seite der Bank, befand sich die erwählte Ruhe=
stätte.

„Es hat sich erwiesen," hub der Schau=
spieler wieder an, „daß das liebe Mädchen in
diesem Dorfe geboren worden; hier an diesem
Mühlbache hat es als fröhliches Kind gespielt,
hier mögen nun die Engel mit der verklärten
Seele spielen, um sie liebkosend, unter den süße=
sten Kinderträumen, in die ewige Herrlichkeit
einführen."

Er sprach noch eine Weile so fort, und als
er Lessingen erschüttert sah, erneute er seine Um=
armung. „Gott sey gelobt!" rief er, die Hände
gen Himmel hebend, „so ist Mellefont nicht der
Einzige, der um seine Sara weint! Ihr An=
denken ist gefeiert, ihre Manen sind beruhigt.
Nun fort in den Krieg, in's Gewühl der
Schlachten, dort wird diese Brust wieder Frie=
den, Ruhe finden."

Ist es eine ausgemachte Erfahrung, daß
im Leben verwandte Gemüther sich leicht finden
und erkennen, gern zusammenhalten, und im
engsten Vereine sich am glücklichsten befinden,
so kann sich wohl ähnliches noch leichter auf

einer Reise, ein Zustand, der so oft mit dem
Leben im allgemeinen verglichen wird, fügen.
Wer sich genöthigt sieht, die Enge seines Wohn=
zimmers mit einem Genossen zu theilen, muß
diesen, wo es nur möglich ist, sich zum Freunde
zu machen suchen. Ein Reisewagen ist ein noch
engeres Wohngemach, und wer hier einen oder
mehrere Plätze vergibt, muß um so strenger
jene Regel befolgen, je mehr hier ein Wechsel
von Begegnissen aller Art von außen, eine ge=
wisse Ruhe und Uebereinstimmung innen nöthig
macht. Unsere Reisende befanden sich in dem
Fall, diese Grundsätze ungezwungen und mit
Heiterkeit in Ausübung bringen zu können.

In einem bequemen Wagen eingeschlossen,
gegen die Unbilden des Wetters wie des We=
ges geschützt, saßen vier Personen sich gegen=
über, die auf eine gemüthliche Weise, einer an
dem andern gleich lebhaft theilnehmend, den
Stoff zur Unterhaltung in einer geistreichen
Folge fortführten. Den geringsten Theil am Ge=
spräch nahm freilich die alte Französin; allein es
ist schon ein Verdienst, in den Verkehr begab=
terer Geister nicht störend einzuwirken, und die=
ses Verdienst besaß die treffliche Dame im hohen
Grade. Sie war zufrieden, daß man ihr, in
der für sie eingerichteten Ecke des Wagens, alle
Bequemlichkeiten gewährte, welche sie, als ihrem

Alter und Range zukommend, betrachtete, und
die sie dadurch zu nützen wußte, daß sie sich
unbemerkt, und während der Unterhaltung der
andern, den Anwandlungen des Schlafes über=
ließ. Ihr gegenüber saß jener Fremde, den
man aufgenommen hatte, und der mit der höch=
sten Achtung von der Gräfin und unserm jun=
gen Freunde behandelt wurde. Er war ein
ältlicher kleiner Mann, von äußerst zartem Kör=
perbau, eine kränkliche Blässe im feingeformten
Antlitz, das durch ausdrucksvolle Züge um den
Mund, so wie durch große geistreiche und leb=
hafte Augen viel Bedeutsamkeit zeigte. Seine
Miene, die Haltung, so wie sein Gespräch drück=
ten jene sanfte Bescheidenheit aus, die fast an
eine kindliche Weichheit gränzt, und die älteren
Männern oft einen eigenthümlichen Reiz ver=
leiht, sie muß nur, wie es hier der Fall war,
eben so weit von Schwäche wie von Charakter=
losigkeit entfernt seyn. Selbst die Stimme die=
ses besondern Mannes theilte vollkommen den
Ausdruck seiner Physiognomie, sie klang leise
und wohllautend, nur eine sehr schwache Bei=
mischung von provinziellem Dialecte, dem gebil=
deten Ohr Clarissens besonders bemerkbar, zeigte
in ihm den Sachsen. .

Die Unterhaltung bewegte sich zunächst um
die gegenwärtigen Verhältnisse des Bestehenden,

doch wie es unter geistreichen Personen gewöhn=
lich, verließ sie alsbald den materiellen Boden,
um sich in die Sphäre contemplativer Anschau=
ung zu erheben. Man sprach über die Tendenz
der Zeit, über ihre religiöse und sittliche Ent=
wickelung, und hier zeigte sich nun eine inter=
essante Meinungs=Verschiedenheit. Clarissa trat
ihrem ältern Freunde scheinbar entgegen, um
sich dem jüngern näher anzuschließen. Jener
edle freundliche Mann, bekannt wegen seiner
ungeheuchelten tiefen Frömmigkeit, sprach un=
umwunden, obgleich immer schonend, seinen
Widerwillen aus gegen die falsche Aufklärungs=
sucht, den Drang nach philosophischer Ober=
flächlichkeit, der sich erkältend und vernichtend
aller höhern Lebensverhältnisse bemächtigt habe,
und eben so den Schätzen des Wissens, wie de=
nen des Glaubens, Gefahr drohe. Clarissa gab
ihm in diesem Hasse vollkommen Recht, nur
trennte sie sich von ihm in der Ansicht von dem,
was ihr Freund falsche Aufklärungssucht und
philosophische Oberflächlichkeit nannte. Lessing,
als Dichter, suchte beide Ansichten zu verbinden,
indem er beide mit Gemüthlichkeit in sich auf=
nahm, gleichsam wie eine Biene, welche aus
zwei gleichherrlichen duftenden Blüthenkelchen
ihren Honig sammelt.

Die Anknüpfungspunkte zum folgenden Gespräch bildete der Umstand, daß der Gelehrte einen jungen Grafen, seinen frühern Zögling, an dem er mit väterlicher Liebe hing, jetzt nach Paris hatte abreisen sehen. Die Besorgnisse des edlen Mannes, für das Wohl des Jünglings bei seinem Eintritt in eine entsittete Welt, schienen, wenn man ihn sprechen hörte, eben so gegründet, als sie tief gefühlt und ernstlich gemeint waren.

„Warum soll ich's leugnen?" sagte er jetzt mit jener wundersamen Weichheit in Ton und Ausdruck, „ich habe in meinem einsamen Zimmer oft und innig gebetet, daß der, der diese Prüfung uns allen auferlegt hat, ihn, den Reinen, gnädig hindurchführen möge. Es ist so leicht, eine weiche junge Seele zu beschädigen, die schöne, noch nicht befestigte Form irgendwo zu verletzen, so daß sie dann für späte Tage die Spuren an sich trägt. Wie er mir am Halse hing, wie seine Thränen sich mit den meinigen mischten, ach! wenn er mir nicht so wiederkehrte! — es wäre um die Ruhe, um das Glück auch meines Lebens geschehen."

„Wer könnte es wohl mit diesen Besorgnissen," nahm Clarissa das Wort, „zu ernstlich und gewissenhaft nehmen? Sündlicher Leichtsinn wäre es, mit Stillschweigen oder gar

Gleichgültigkeit über sie hinwegzugehen. Allein, würdiger Freund, gestatten Sie mir immer, zu gestehen, daß ich in dieser Reise keine Gefahr für Ihren Zögling sehe. Junge, strebende Gemüther müssen durchaus auf Widersprüche stoßen, um sich selber zu befestigen und in's Klare zu setzen. Hätten Sie denn in der That gewünscht, ihn immerdar in den Kreis Ihrer Obhut und Sorge eingeschlossen zu erhalten? Und wäre er auch dann jeglicher Versuchung entgangen?"

„Ich kann es nicht bestimmen," erwiderte der Gelehrte, „doch hätte ich dann diese quälenden Besorgnisse, diese Angst um ihn, nicht zu erdulden gehabt. Ist es denn nun eben nöthig, Paris gesehen zu haben?"

„Gewiß," rief Clarissa lebhaft. „Wenn man nicht todt einer todten Zeit angehören will, so muß man diesen Marktplatz des modernen Lebens, man muß diese Stadt der Bildung, die Schule gesellschaftlicher Sitten gesehen haben. Es ist nicht lange her, daß unser Land sich noch auf das trostloseste verwahrlost fand. Wir haben es leider selbst noch erlebt, daß sich unser junger Adel auf den Gütern, wenig aufgeklärter als seine Bauern, wenig gesitteter als das Gesinde, und um vieles roher noch, als der roheste Stallknecht zeigte. Es war in der That mit diesen Leuten kein Auskommen möglich; nicht allein das gesellige Leben, auch Staat und Kirche litten unsäglich. Als aber nun un= ser König an die Regierung kam, bemächtigte sich der ganzen trägen Maschine ein neuer Geist, ein lebhafter Umschwung setzte alle Räder in Bewegung, und siehe da, die Gestalt der Dinge wurde plötzlich eine andere. Er, der unermüd= lich Thätige, litt überall kein Stillestehen, und die entferntesten Theile seines Reiches mußten den Pulsschlag des neuen Lebens fühlen. Vor allem brachte er die Reiselust auf. Bald sah man jene Faulen aus ihrer behaglichen Ruhe aufgerüttelt, und nach Schätzen gierig haschen, die zu begehren, wenige Jahre früher, ihnen selbst im Traume nicht eingefallen wäre. Viele gute Familienväter auf dem Lande, die bisher Anstand nahmen, nach Berlin oder Königsberg zu reisen, ohne die üblichen Gebete in den Kir= chen für Reisende zu Land und Wasser abbeten zu lassen, entschloßen sich jetzt frischweg, ihre Söhne nach Paris zu schicken, und waren nicht wenig verwundert, nach ein paar Jahren, statt der unbeholfenen Knaben, gebildete, liebenswür= dige Jünglinge in die Arme zu schließen, die durch Geist und Thätigkeit verdienten, die Er= ben eines alten Namens und großer Schätze zu seyn. Gewiß, für die Meisten ist die Welt

gleichsam neu erobert worden, und unser gro=
ßer liebevoller König hat seinen Unterthanen
hier ein wahrhaft königliches Geschenk gemacht."

„Ein Geschenk," nahm unser Dichter das
Wort, „das erst die Folgezeit in seinem ganzen
Werthe zeigen wird. Wie sehr sind jene im
Irrthum, die da meinen, es sey dem großen
Manne in seinen Kriegen nur um materiellen
Vortheil zu thun, als kämpfe er nur und ver=
spritze das Blut seiner geliebten Unterthanen,
um eine Hand breit Landes mehr zu gewinnen.
Wahrlich, nicht das elende Besitzthum, das er
der Willkür seines Nachfolgers früh oder spät
doch überlassen muß, ist es, was die Ehrbe=
gierde eines solchen Helden reizt; nein, ihm
glänzen höhere Preise. Geistigen Boden ge=
winnet sein siegreiches Schwerdt ab, dem Aber=
glauben, der Despotie, den Gräueln einer fin=
stern Zeit bietet er muthvoll die offene helle
Stirne, und die kostbarsten Hoffnungen des
Wissens wie des Glaubens, knüpfen sich in
diesem Kriege an den Namen Friedrich."

Der Gelehrte lächelte. „Mögen," sagte er,
„junge feurige Herzen sich immerhin schwär=
merischen Hoffnungen blind ergeben, uns ältern
Männern jedoch muß man schon einige Zwei=
fel gestatten. Ich gestehe, mir wird bange, wenn
ich meinen Gesichtskreis so in's Unermeßliche

16

erweitert sehe. Sind denn Demuth, Zufrieden=
heit, und vor allen Genügsamkeit, keine Tugen=
den mehr? Der gute Mensch bedarf, um Gu=
tes zu wirken, am Ende doch nur einen gerin=
gen Raum; in der engen Schranke befindet er
sich glücklich, und jener Trieb in's Grenzenlose
verwirret den Blick, ängstiget ein Herz, das
sich seiner schwachen Kraft bewußt ist. Eine
Frucht jener Reise möchte seyn, daß unserer Ju=
gend jetzt nichts mehr ehrwürdig und heilig er=
scheint. Ein böser Geist des Tadels drängt die
alte Liebe und Ehrfurcht hinweg, und so vieles
wird lächerliches Vorurtheil gescholten, was recht
eigentlich ein enges Band um die ehrwürdig=
sten Verhältnisse schlang. Jene großen Geister
haben wohl selbst nicht bedacht, was sie alles
vernichten, indem sie das Vertrauen tödten, die
heiligste Kraft im Menschen. Um nur Einen
Beleg hiefür zu geben, mag es mir erlaubt
seyn, eines Vorfalls zu erwähnen, der sich noch
vor Kurzem in meiner nächsten Umgebung er=
eignete, und der vielleicht dazu dienen wird,
unsere beiderseitigen Ansichten zu vereinigen oder
verständlich auseinander zu setzen. Wer kennt
nicht den Haß, die zum Theil grausame Verfol=
gung, deren sich unsere Voreltern gegen die
Juden schuldig machten? Dem allereinfachsten
Verstande leuchtet hier der Vorwurf klar in's

Auge, und dennoch muß man sich hüten, über=
eilt zu verdammen oder zu erheben. Eine arme
Wittwe in Leipzig, die ihr Kind schon seit lan=
gen Jahren als todt beweinte, findet es durch
besondere Fügungen lebend und gesund wieder;
allein sie findet es in dem Hause eines Juden,
der den verwahrlosten Sprößling, als er ihn
aufgenommen, groß gezogen und in seinem
Glauben unterwiesen hat. Das Entzücken der
glücklichen Mutter geht bei dieser Entdeckung in
Schmerz, ja sogar in Haß über, so daß sie sich,
von bösen Einreden noch mehr befeuert, ent=
schließt, den Retter ihres Kindes, seinen zwei=
ten Vater, vor dem geistlichen Gerichte zu ver=
klagen. Die Sache macht Aufsehen: es erheben
sich Streitfragen, bis sich endlich die Meinung
eines Mitgliebs jenes Gerichts geltend macht.
Dieses war ein junger Mann, von feurigem
Geist, gebildet in der neuen Schule der Tole=
ranz und Aufklärung. Wie? ruft er lebhaft
und begeistert aus, der Jude sollte strafbar seyn,
weil er, die Werke der edelsten Menschlichkeit
ausübend, aus einem armen verlassenen Ge=
schöpfe einen rechtlichen, arbeitsamen, tugendhaf=
ten Menschen bildete? Er sollte strafbar seyn,
weil er zu diesen Wohlthaten noch den Glau=
ben zufügte, den er für den reinsten hielt. Hat

nur der Christ das Vorrecht, menschlich zu handeln?"

„Trefflich!" rief Lessing, „ein wahrhaft edler Mann."

„Die trostlose Mutter," fuhr der Gelehrte fort, „kam nun zu mir. Sie forderte nun auch meinen Rath, ob sie ihren Sohn, der seinen Erzieher innig liebte, nicht von ihm lassen mochte, jetzt durch gewaltsame Mittel, durch Androhung ihres mütterlichen Fluches von dem Verführer losreißen, oder ob sie sich in ihr Schicksal fügen, und das geliebte Kind zum zweitenmal verloren geben solle."

„Ich bin begierig, zu erfahren, wozu Sie riethen," rief Clarissa.

„Zu nichts Gewaltsamen. Ich suchte den Jüngling auf; durch allerlei kleine Dienste, die meine Vorsorge ihm erwies, brachte ich ihn mir allmählig näher. Er faßte Vertrauen und trat mir endlich ganz nahe. Mit freudigem Erstaunen erkannte ich in ihm die feste Grundlage eines sittlich gebildeten moralischen Characters; mit Demuth und Liebe nahm er meine christlichen Ermahnungen und Lehren an, und es nahete der Tag, wo es ihm frei stehen sollte, die Religion seines Erziehers beizubehalten oder sie mit der christlichen zu vertauschen. Der Treffliche machte mir die unbeschreibliche Freude,

und trat zum Christenthum über. Er gestand
an meinem Halse mit Freudenthränen, daß
diese Wandlung mein Werk sey; sein einziger
Kummer war die tiefe Betrübniß, die sein alter
Erzieher bei diesem Ereigniß empfand. Wirk=
lich überlebte dieser Würdige den Schmerz nicht
lange. Ich war sein Pfleger am Sterbebette,
und soll ich's nun gestehen, theure Gräfin, die
Grundsätze dieses Greisen, der die Wahrheit, die
Demuth, die Reinheit selbst war, erschütterten
mich auf das heftigste. Ich, der Bekehrer, war
nahe daran, selbst bekehrt zu werden, allein ich
habe diese Thorheit eines zu schwachen Herzens
nachher auf das empfindlichste an mir ge=
züchtigt."

Die Gräfin lächelte; indem sie die Hand
des ältlichen Mannes ergriff, sagte sie: „O Sie
sanfter liebevoller Freund, wie überrasche ich Sie
hier auf einem Gefühle, das Sie verdammen,
und in Geheim doch nicht missen möchten. Will
ich denn etwas Anderes, als diese edle Toleranz?
Giebts denn nicht eine Liebe, die allen Men=
schen, ohne Ausschluß, gleich angehört? die wie
ein reich ausgegossenes Meer, mit immer fri=
schem Gewoge die fernsten Küsten verbindet und
einigt. Wie kann ich mir einen Gott der Liebe,
der Erbarmung denken, der durch Jahrhunderte
hinburch ein armes Volk verdammt und verfolgt,

indeß er ein anderes mit seltsamer Nachsicht
verzieht, blos weil es seine Satzungen an die=
sen, und nicht an jenen Namen knüpft. Nein,
Geliebter, lassen Sie mich nun auch aus meiner
Erfahrung ein Beispiel erzählen, ein unbedeu=
tendes Geschichtchen, wenn Sie wollen, doch be=
deutend genug für mich und für meine geistige
Entwickelung. Ich habe hierbei mehr gelernt,
als bei den tiefsinnigsten Lehrsätzen unserer
neuesten Philosophen. Die Begebenheit ist fol=
gende. Das Geschick war gütig gegen mich, es
gab mir und meinen Schwestern eine zärtliche
Mutter, eine Mutter, in deren Geist und Her=
zen erfahrene Klugheit und hingebende Herzens=
güte sich auf das Innigste verbanden. Sie be=
trübte uns nur Einmal auf das schmerzlichste,
und dieses durch ihren frühzeitigen Tod. Wir
mußten an ihrem Sterbelager erscheinen, und
sie ging daran, das letzte rührendste Vermächt=
niß ihrer Liebe, jene kleinen Besitzthümer un=
ter uns zu vertheilen, welche sie im Leben zu=
nächst im Gebrauch gehabt, und unter denen
ein Ring das Hauptsächlichste war. Der ein=
fache goldene Reif, ein altes Erbstück unserer
Familie, hatte, wie die Sage ging, nebst dem
Segen so vieler dahingeschwundenen Geschlech=
ter, auch die Gabe empfangen, diejenigen, die
in seinem Besitz waren, liebenswerth zu machen,

und in der That, meine gute Mutter zeigte hier=
von den rührendſten Beweis. Welche von uns
ſollte nun den Wunderring nach ihr beſitzen?
Ich geſtehe, daß wir unter einander, obgleich
durch die innigſte Liebe verbunden, dennoch leb=
haft den Stachel der Eiferſucht fühlten; doch
war es öfters geſchehen, daß die älteſte Tochter
ihn erhalten, und ſo trat ich denn, gleichſam
auf dieſe hohe rührende Ehre gefaßt, zu der
Sterbenden, als ſie mich, abgeſondert von mei=
nen Schweſtern, an's Lager beſchied. Ich em=
pfing den Ring, zugleich ihren Segen, und
triumphirte. Dieſes Gefühl eines ſo unzärtli=
chen Triumphs hätte mir ſchon ſagen ſollen,
wie unwerth ich des ächten Ringes war. Wie
geſchah mir aber, als ich nach der Mutter Tode
bemerken mußte, daß meine Schweſtern eben=
falls mit dem Ringe prangten; auch ſie hatten
ihn, eine von der andern nichts wiſſend, von
ihr empfangen. Zorn und Unwillen brachen
bei mir hervor. Nicht möglich! rief ich, ſie, die
beſte der Mütter, hätte ihre Kinder täuſchen
können? Wir eilten, in Thränen gebadet, alle
drei zum Vater, unter Schluchzen erzählten wir
die Geſchichte unſeres Unglücks; zugleich blinkte
in der Hand einer Jeden, bis auf das kleinſte
Merkmal, fürchterlich gleich, der helle Schickſals=
reif. Der Vater ſchloß uns in ſeine Arme.

Meine Töchter! rief er, erkennet die Liebe, die
Gerechtigkeit, die Güte eurer Mutter; ihr wa=
ret alle drei ihr gleich lieb, alle drei ihre Kin=
der; konnte sie es wohl über ihr Herz bringen,
einer den Vorzug, gleichsam die Gewalt über
die andern zu geben? Mir vertraute sie das
Geheimniß, welches ihr zärtliches besorgtes Herz
ersann: zwei Ringe ließ sie verfertigen, dem
ächten täuschend ähnlich, und so besitzt eine von
euch in der That den ächten Reif: welcher es je=
doch ist, werdet ihr, und wenn ihr noch so ge=
nau eure Ringe vergleicht, nie erforschen."

„Ich habe den ächten! rief ich mit unwil=
ligem noch nicht gebeugten Stolze; kann eine
andere ihn wohl besitzen als die ältest ge=
borene?"

„Und weßhalb gerade die? fragte mein
Vater ernst, ist es denn ein Grund, mehr Liebe
zu verlangen, weil man sie zuerst in Anspruch
genommen? Bist Du mehr ihr Kind, als die
jüngste Tochter?"

„So ist sie es! rief ich, und meine Wange
glühte; o gewiß! war sie nicht immer der Mut=
ter Liebling?"

„Und so ein geringes Maaß gibst Du der
Mutterliebe, entgegnete mein Vater mit beküm=
merter Miene, als könne sie nur Ein Kind lie=
ben? Doch, meine Töchter, es gibt allerdings

ein Mittel, zu erforschen, wer von euch den
ächten Ring besitzt."

   „Und welches? riefen wir alle drei heftig."

   „Besitzt nicht der Ring die Kraft, seine Ei=
genthümerin liebenswerth zu machen? Wohlan,
meine Kinder, da habt ihr den Schlüssel zum
Geheimniß. Welcher von euch wird's gelingen,
der edlen Verklärten am ähnlichsten zu werden,
welche werde ich als die Erste im Wettlauf zu
so schönem Ziele eilen sehen, und welcher, als
der Liebenswertheften, werde ich Glück wünschen
dürfen zum Besitz des Wunderringes?" —

   „Bei diesen Worten übergoß Schaam un=
sere Seelen. Gesenkten Blickes standen wir da;
die ehrwürdige Gestalt unserer Mutter trat zwi=
schen uns, sie war es, die unsere Hände zusam=
menfügte, ein Kuß der Liebe schmolz uns in
einander, und so sanken wir vereint zu den
Füßen des Vaters. Vor allem peinigte mich
der Stachel schmerzlicher Reue: du bist nicht die
Erwählte, dein Stolz, dein Hochmuth, wie fern
ist er dem göttlichen Gesetz der Liebe! Eine
Nacht voll der bitterften Thränen, der heilsam=
sten Schmerzen folgte dieser Prüfung; ich stritt
mit meinem unbezähmbaren Charakter, und
endlich ging ich siegreich hervor. Wohlan, rief
ich, es gilt, von einem eingebildeten Throne
herabzusteigen, im Reich der Erkenntniß gibt

es weder Hoch noch Niedrig, die größere Tu=
gend, die reinere Sitte, die Demuth ent=
scheiden."

Der Gelehrte ergriff die Hand der Gräfin.
„Schöne, edle Freundin," rief er, und aus sei=
nen Augen perlten Thränen, „wie wunderbar
und heilig ist Ihr Erlebniß, ja, wenn die Macht
die Herzen sich zu unterwerfen, eine Gabe des
ächten Ringes ist, so sind Sie in seinem Besitz."

„Böser Freund," rief Clarissa, „so wollen
Sie mir geflissentlich auch das geringe Verdienst
rauben, das ich, in Anwendung jenes schönen
mütterlichen Vermächtnisses, mir aneignen darf.
Deuten Sie jenes Bild auf die verschiedenen
Religionen. Nehmen Sie an, daß ich in mei=
nem Stolz den jüdischen Glauben darstelle, ihn,
der sich für bevorrechtet hält, weil er der ältere
ist, und der nun gewahr wird, daß ein jünge=
rer sich ebenfalls für auserwählt ausgibt, ja
endlich ein dritter die gleichen Ansprüche geltend
macht, daß diese drei bestimmt sind, mit einan=
der im Wettkampfe zu ringen, und daß die
reinste Menschenliebe, die höchste Tugend, die
edelste Toleranz endlich entscheiden muß, welche
Religion sich ihrem göttlichen Vorbilde am mei=
sten nähert. Lange haben diese drei feindlichen
Kräfte sich blutig bekämpft, jetzt erscheint die
Zeit, in der sie sich friedlich zu vergleichen

streben, und diese Zeit ist unser aufgeklärtes
Jahrhundert, das Jahrhundert der Toleranz,
der Freiheit."

Lessing hatte stumm zugehört, jetzt hob er
begeistert seine Blicke zu der holden Gestalt, die
im Feuer ihrer Rede hoch aufgerichtet dasaß,
die bleichen Wangen von einem leichten Pur=
pur überflossen. „Himmel!" rief der Jüngling,
„welche Worte, wie klar, wie sicher, wie leben=
dig zeigen Sie mir mein eigenes Denken und
Empfinden, wie fassen Sie in bestimmte Bilder,
was sich nur unsicher und dunkel in meinem
Geiste zubereitete."

Die Gräfin reichte ihrem Freunde die Hand,
ein Blick ihres schönen seelenvollen Auges zeigte,
wie werth es ihr war, sich von ihm verstanden
zu sehen, mit ihm die Gesinnung zu theilen.
Unser Dichter schwärmte. So nahe der Gelieb=
ten, in so glücklicher Einigung mit ihr, getra=
gen von seinen Lieblingsideen, durch ein ernstes
schönes Seelengespräch noch inniger mit der
Reizenden verbunden: was durfte er mehr
wünschen? Nie fühlten sich drei Menschen, in
vertrauter Mittheilung, im gemüthlichen Zusam=
menseyn glücklicher, als unsere Reisenden; al=
lein sie sollten mitten in der heitern Welt der
Phantasie an die rauhe der Wirklichkeit gemahnt
werden.

Man fuhr durch einen düstern Wald: die dunkeln Föhren rauschten zu beiden Seiten des Weges über der dahin rollenden Kutsche zusam= men. Der Postillion trieb eilig vorwärts, denn er fürchtete diese Gegend, berüchtigt durch kürzlich verübte Gewaltthaten, überschwemmt von unruhi= gem Gesindel aller Art. Das aufmerksame Ohr des alten Christian hatte schon lange verdächtige Laute durch den Wald schallen hören, prüfend, blickte er den einzelnen Soldaten in die bärtigen Gesichter, welche mit Gepäck beladen, auf der Land= straße daherzogen, und die sowohl durch ihre Klei= dung als ihre Mienen den Uebergang von dem sehr ehrwürdigen Stande der Vaterlandsvertheidiger zu dem minder ruhmwürdigen der Landstreicher zu bilden schienen. Der Grenadier theilte seine Besorgnisse dem Schwager Postillion mit, und dieser zog wiederum den jungen Jäger hinter dem Wagen in's Vertrauen.

„Wenn wir nur ein besseres Stück Manns= bild im Wagen hätten," brummte Christian, „aber der schwächliche blasse Knirps von Pro= fessor, und das zierliche Pastor=Söhnchen, es ist verdammt luftige Waare. Doch, Schwager, wenn es dran gehen sollte, so stehen wir beide noch unserm Mann, he?"

Der Postillion nickte schweigend mit dem Kopfe.

„Donnerwetter," setzte der Kammerdiener seinen Discurs fort, „wie das im Wagen brummt und plappert, als säßen die zwölf kleinen Propheten drinnen, und läsen sich einander ihre Prophezeihungen vor. Aber so ist das Weibervolk. Siehst Du nichts, Schwager, auf dem Wege dort? Sperr' Deine Augen auf, lieber Sohn, gib Deinen Thierchen die Fuchtel, fahr zu, fahr zu!"

Noch immer herrschte ungestört im Wagen der heitere Verkehr edler Geister, noch blühte der gedankenreiche Friede, noch flogen die leichten farbigen Bälle des Scherzes und der Freude, da machte plötzlich ein donnerndes „Halt!" den Wagen und das Gespräch zugleich stehen. Die Bonne, welche am meisten aufgelegt war, ihre Aufmerksamkeit den äußern Gegenständen zu weihen, und die von Zeit zu Zeit mit ihrer spitzigen Blondenhaube aus dem Fenster geblickt hatte, sank jetzt mit einem Schrei in die Polster des Wagens zurück. Im gleichen Moment wurde der Schlag aufgerissen, Soldaten zu Pferde und zu Fuß umgaben die Kutsche, überall sah man bärtige verwegene Gesichter hineingucken, Geschrei, Pferdegetrampel, Fragen und Gelächter tönten laut durcheinander. Es fand sich, daß man sich der Grenze einer ansehnlichen Besitzung genähert hatte, auf der ein

Wachtposten errichtet worden war. Ein Mann zu Pferde sprengte jetzt an die offene Wagen= thüre, er neigte sich etwas, um hineinzublicken, und fragte dann mit derber, rauher Stimme: „Was für Bagage? Wo will der Troß hin? Hab keine Permiß, ihn passiren zu lassen, her= aus aus dem Karren und auf die Wache.“

Christian war herabgesprungen, und drang wüthend auf den Reiter ein; dieser wehrte sich nur leicht, ein Gelächter seiner Kameraden be= gleitete den ungleichen Kampf. Clarissens Stimme brachte den alten Diener nur mit Mühe zur Ruhe. Lessing und der Gelehrte verließen ihre Sitze; der letztere rief, indem er sich gegen den Reiter wandte: „Wir kommen aus der Gegend von Dresden, und haben freie Pässe bis Bautzen.“

„Nichts da,“ schrie der Soldat, „Pässe hin, Pässe her, dergleichen gilt heutzutage nichts. Fort, hinein in die Wachtstube, dort wird man die Röcke der Herren und die Fähnchen der Mamsellen untersuchen.“

Die Bonne sank ohnmächtig zurück. Ge= tümmel, Gelächter, rohes Lärmen und Schreien von allen Seiten. Einige kecke Bursche mach= ten Anstalt, die Damen mit Gewalt herauszu= komplimentiren, doch fanden sie in Lessingen, der sich vor die Thüre hingestellt, einen tapfern

Widerstand. Indessen hatte der Gelehrte die nöthigen Papiere hervorgesucht, und bestand darauf, vor den wachehabenden Offizier geführt zu werden.

„Da steht er!" rief eine Stimme, und in dem Moment trat ein junger Mann von gebietender Haltung hervor. Er warf einen prüfenden Blick auf den Wagen und die Gesellschaft, dann heftete er sein Auge verdrießlich auf die Papiere, die ihm der Gelehrte hingereicht hatte. Schweigend umstanden ihn die Gruppe der Soldaten, so wie die Gesellschaft der unglücklichen bedrohten Reisenden. Plötzlich ging der finstere Ausdruck des Lesenden in ein freudiges Staunen über, noch einmal musterte sein Blick die Umstehenden, dann erhob er seine Stimme zur Frage: „Meine Herren, welcher von Ihnen ist der Professor Gellert?"

„Ich bin es," entgegnete der Gelehrte.

Eine lebhafte Röthe färbte die Wangen des Offiziers, seine Blicke glänzten; bescheiden nahte er sich dem ältlichen Manne, und indem er ihm eine militärische Verbeugung machte, sagte er: „Mein Herr, wir haben Befehl, Sie sowohl als ihre Begleitung ungehindert passiren zu lassen; man weiß, daß Sie diese Straße bereisen, und ich wollte eher mich selbst der

größten Gefahr aussetzen, als das mindeste Un=
gemach einem Manne zufügen, den Jedermann
achtet und ehrt. Steigen Sie ein, und erreichen
Sie glücklich das Ziel Ihrer Reise."

Er trat mit diesen Worten zurück; zugleich
entfernten sich die sämmtlichen Soldaten vom
Wagen, indem sie in einer kleinen Entfernung
stehen blieben, um von dort aus aufmerksame
und staunende Blicke auf den Mann zu richten,
der eine so plötzliche unerwartete Aenderung der
Scene bewirkt hatte, und der jetzt freundlich
und, wie es schien, durch die allgemeine Auf=
merksamkeit befangen gemacht, vor seinen Be=
wunderern dastand. Als die Gesellschaft, nach
erstatteten Dankbezeugungen von dem gehabten
Schreck sich erholend, jetzt Anstalten traf, die
Reise fortzusetzen, trat ein alter bärtiger Sol=
dat auf Gellerten zu, und indem er ihm eine
ungeschickte Verbeugung machte, rief er: „Mit
Erlaubniß des Herrn Offiziers wollten wir
Ihn bitten, Herr Gelehrter, daß Er uns eine
seiner Fabeln hersage. Es ist nur, damit un=
ser Einer, kommt er einmal heim zu Frau und
Kind, sagen könne: ich habe auch den lieben,
frommen, berühmten Professor aus Leipzig ge=
sehen, und er hat uns eine Fabel vorerzählt.
Halten's zu Gnaden, lieber Herr."

Gellert lächelte.

„Ja, ja," rief der Reiter, „erzählt nur, sonst nehmen wir Euch doch gefangen."

„So muß ich wohl!" entgegnete der Fabeldichter, und fing auf dem Platze, vor dem noch geöffneten Wagen stehend, umschlossen von einem aufmerksamen Kreis von Bauern und von Kriegern, die, auf ihre Gewehre gestützt, den kleinen blassen Mann in ihrer Mitte, anblickten, mit lächelndem Munde und tönender Stimme eine seiner bekanntesten Fabeln herzusagen. Es war die, welche mit den Worten beginnt:

> Phylax, der so manche Nacht
> Haus und Hof mit Treu bewacht, u. s. w.

Als die Verse geendet waren, drückten die Zuhörer auf verschiedene Weise ihre Theilnahme und Bewunderung aus. Die alten Krieger sahen meistens stumm zu Boden nieder, Mädchen und Weiber, welche hinter den Soldatengruppen lauschten, trockneten sich mit den Schürzen die Augen; einige Bauern blickten andächtig gen Himmel, weil sie meinten, das Vorgetragene sey eine Predigt. Endlich trat, als der Gelehrte eben wieder in den Wagen steigen wollte, ein junger Rekrut auf ihn zu, und rief lautschluchzend: „Na, leb Er wohl, Phylax!" Der Offizier und einige Soldaten lachten.

17

Der Wagen rollte jetzt ungehindert fort. Unsere Reisenden gewannen Zeit, über dieses seltsame tragikomische Intermezzo ihres ernsten Gesprächs sich zu belustigen. Dem Professor stattete man Danksagungen ab, und besonders erschöpfte sich die Bonne in Lobsprüchen und galanten Anspielungen, indem sie ihren Ritter einen neuen Orpheus nannte, dem es gelungen, die wilden Thiere des Waldes durch den Klang seiner Lyra zu bezwingen.

„Ich freue mich nur," entgegnete der freundliche Mann in seiner anmuthigen sanften Weise, „daß ich nun auch das Meinige zur Aufklärung und Humanität habe beitragen dürfen."

„In der That," rief Clarissa, „Sie haben das friedfertigste Mittel gewählt. Ein Ziel, das unser großer König beim Donner der Kanonen, bei der Fackel der Verwüstung verfolgt, erreichen Sie spielend durch eine einzige scherzhafte Erzählung."

Man lachte, und die gute Laune war völlig wieder hergestellt; nur unser junger Dichter saß, den Blick vor sich hingerichtet, sinnend in die Wagenecke gedrückt. Sein Geist weilte in fernen Räumen, und nur das Auge der Geliebten, das jetzt fragend auf ihm verweilte, vermochte ihn aus den seiner Phantasie angewiesenen glücklichen Regionen zurückgerufen. Auf ihre Fragen erwiderte er:

„Wie soll ich's verbergen, daß unſer frühe= res Gespräch mich auf das lebhafteſte jetzt wieder beſchäftigt. Aus dieſem Stoffe muß ſich ein Gedicht, eine Erzählung, am beſten ein Schau= ſpiel, formen laſſen."

„Sie wollen doch nicht," rief Clariſſa, „mich und mein einfaches Erlebniß auf's Thea= ter bringen?"

Der Dichter fuhr begeiſtert fort: „Wie, wenn man ein Gedicht ſchaffen könnte, deſſen Mittelpunkt jene tiefſinnige Parabel mit den drei Ringen bildete? Wenn Chriſt, Jude, Mu= ſelmann ſtreitend aufträten, und jenes ſchöne Gleichniß glänzend und befriedigend die Streit= frage löſte? Welche Gruppen edler Geſtalten ſchau' ich im Geiſte, verſammelt um das alte dunkle Räthſel der Menſchheit, endlich, da keine es genügend zu löſen vermag, ſich über der Stätte ſo vielen Elends, über dem Grabe gan= zer hingemordeter Geſchlechter, friedlich die Hände reichend. Ach, ich ſehe ſie vor mir, die Edlen, einer unter ihnen der Edelſte, der zuerſt und freiwillig die Verſöhnung anbietet. Ein Greis muß es ſeyn, ſo zeigt ihn mir der Geiſt, ein Greis mit dem überſtrömenden Herzen ei= nes Jünglings, weiſe und zugleich feurig!"

Gellert und die Gräfin blickten sich über-
rascht und lächelnd an. „Man sehe," rief der
Gelehrte, „welch ein wunderliches Ding es ist
um einen Dichterkopf! Da ist sogleich ein Gemälde entworfen und ausgeführt, ohne daß wir
die Farben haben bereiten, die Tafel haben aufstellen sehen."

„Ein herrliches Gedicht!" schwärmte der
Jüngling weiter; „Plan und Entwicklung ein-
fach, doch voll Würde. Wo so große Fragen
entschieden werden, darf keine geringe tändelnde
Intrigue sich zeigen. Männer handeln miteinander um den köstlichsten Schatz ihres Busens,
ernste durch's Leben geprüfte und bewährt ge-
fundene Männer. Der Christ, rauh, stolz —
er könnte der jüngste seyn, der Muselmann stolz,
doch zugleich edel, noch nicht verweichlicht in seinem strengen Prophetenglauben durch die Künste
seines Serails, und dann der Hebräer — sanft,
ernst, liebevoll, weise! — Von ferne könnte
eine unbedeutende doch edle Liebe hineinschim-
mern, gleichsam ein flüchtiges Roth auf die ent-
schleierten Bergkolosse werfend."

„Vollenden Sie es!" rief Clarissa, „ver-
wirklichen Sie diese Ideen, sie scheinen mir eben
so kühn als großartig. Ich werde dann den
Ruhm haben, Ihnen den ersten Anlaß gegeben
zu haben."

Der entzückte Jüngling vergaß sich und seine Umgebung, leidenschaftlich faßte er ihre Hand, und rief, indem Thränen in seinen Augen glänzten: „Besitze ich denn etwas in meinem Geist, in meinem Herzen, was Sie, Clarissa, nicht in mir hervorgerufen hätten? Ich bin Ihr, Ihr Eigenthum! Ach daß dennoch so Vieles sich trennend zwischen uns drängen darf!"

Clarissa schien auf einen Moment befangen, dann blickte sie den Begeisterten mit dem klaren Auge voll Güte und Geist an. Sie entzog ihm nicht ihre Hand, sie ließ sie ihm; doch gerade diese Ruhe und Hingebung erinnerte ihn, daß er in seiner ungestümen Regung sich habe fortreißen lassen. Gellert, um seine jungen Freunde zu schonen, hatte unterdeß ein Gespräch mit der Bonne angeknüpft; jetzt wandte er sich wieder zum Dichter und sagte: „Was jene Stoffe anbelangt, so meine ich, daß sie sich hauptsächlich aus zwei Gründen nicht wohl zur Bearbeitung für die Bühne eignen möchten. Erstlich scheint mir in der gegebenen Aufgabe zu viel Didaktisches, zu wenig dramatisches Motiv zu herrschen, und dann — ist wohl der Gegenstand selbst ganz passend? Dürfen wir wohl unsern Glauben als ein Kunstwerk behandeln, ihn nach eigensinnigen Gesetzen des Effekts

modeln? Schon die Künstlichkeit der drama=
tischen Form, auch der allereinfachsten, würde
Kälte und Zwang erscheinen lassen. Für die
Eingeweihten wäre alsdann die Verhandlung
zu wichtig, für die große Menge erschiene sie
unbedeutend und unergötzlich."

„Wenige Jahre zurück," nahm die Gräfin
das Wort, „wäre dergleichen auch gewißlich
vergebliches Bemühen gewesen; indeß die ge=
genwärtige Zeit zeigt sich schon um Vieles vor=
bereiteter."

„Und soll denn die Bühne immerdar auf
so niedriger Stufe stehen bleiben?" sagte Lessing.
„Was diese Kunst leisten könne, ist uns viel=
leicht allen noch nicht klar. Mir schweben die
höchsten Muster vor. Will sich ein Dichter kraft=
voll und überall hin wirkend seiner Zeit be=
mächtigen, will er Farbe und Richtung dem
Geschmack mittheilen, mit Einem Worte, will er
ganz als Dichter in der vollen Bedeutsamkeit
seiner hohen Sendung erscheinen, so muß er
dramatischer Dichter seyn. Unser modernes com=
plicirtes Leben, mit seinen tausend durcheinan=
der laufenden Fäden, seinen streitenden Gegen=
sätzen von Herkömmlichem und Freiem, ist ein
Gewebe so seltsamer Art, daß das tiefste Stu=
dium des Philosophen, vereinigt mit dem hell=
sten Scherblicke des Dichters, dazu gehört, es

darzustellen, und so entsteht das Drama. Was haben wir bis jetzt in dieser Weltpoesie gehabt, und was können wir haben? Spielende Tän=delen ist unser Theater, und es kann eine ernste Schule des Lebens und der Sitten seyn; ge=schmacklose Unnatur hat es bis jetzt gezeigt, und es ist bestimmt, die feinsten Muster des Geschmacks, die köstlichsten poetischen Gemälde zu zeigen. Wohlan, möge denn die Menge diese Ideen, welche jetzt die großen Geister be=schäftigen, zuerst von der Bühne herab, in ei=ner allgemein verständlichen Form, predigen hören.“

„Ein Dichter, der diese Grundsätze in's Le=ben führt,“ rief Clarissa, wird der Schöpfer der teutschen Bühne seyn, und nicht allein dieses, er wird die Poesie selbst, und alle mit ihr ver=schwisterten Künste aus dem Staube der Er=niedrigung, aus dem Zwange der Schule her=ausheben, um sie dem frischen Leben, dem ge=genwärtigen geistigen Bedürfniß anzuschließen. Und Sie, Lessing, Sie dürfen diese schönen Ziele uns zuführen.“

„O mein Vaterland!“ rief der Jüngling gerührt, „wenn ich dir das werden könnte! Wenn mein Name dereinst genannt würde, als der Name dessen, der unwürdige Ketten zerbrach, den erlöseten Geist einem freiern Leben entgegen

führte! Doch nein, schmeichelnde Träume ver=
führen mich. Haben Sie nicht, Clarissa, den
großen Geistern Frankreichs ein für allemal
den Vorrang eingeräumt?"

Die Gräfin lächelte. „Zwischen unserm er=
sten Gespräch und dem jetzigen hat sich vieles
überraschend verändert. Schon sind jene pro=
phetischen Worte, die ich damals an den deut=
schen Dichter sprach, halb in Erfüllung gegan=
gangen, noch wenige Jahre, und Sie werden
es ganz seyn."

Der Jüngling schwieg. Eine Pause ent=
stand nach dieser lebhaften Rede, und endlich
nahm Gellert das Wort: „So muß ich denn
einsehen," sagte er, „daß ich, unter jugendlichen
Geistern weilend, selbst nur noch einer vergan=
genen, mächtig gealterten Zeit angehöre. Grü=
nend sproßt eine Welt um mich her, aus deren
Zweigen ein heftig treibender Frühling die bun=
ten farbigen Blüthenlichter hervorbläst. O meine
Freunde, welch' eine seltsame Sache ist's um
eine Zeit. Viele Geister erscheinen zu früh,
andere kommen zu spät, wenn gerade das, was
sie lieben und verehren, zu Grabe getragen wird.
In ihrem unverstandenen Schmerze, wenn sie
so dem Leichenzuge ihres Glückes folgen, er=
scheinen sie der Menge wohl thöricht. So bin
auch ich bestimmt, die alte, genügsame, zufriedene,

beschränkte, in ihren Schranken sich glücklich
fühlende Welt zu Grabe zu geleiten, und an
mir vorüber schreiten die jungen Geister einem
neuen überraschenden Lichte entgegen. Ja wohl
hatte jener treuherzige Bursche nur zu sehr
recht, der mich selbst den Phylax nannte. Bin
ich es denn nicht, der noch treu, still und erge=
ben auf der Schwelle des alten Hauses liegt,
unermüdlich bewachend die Schätze des Haus=
herrn, und in dieser Treue nicht ahnend, daß
unterdeß der alte Herr gestorben, daß eine neue
glänzende Wirthschaft in den lieben bekannten
Räumen eingerichtet worden?"

   Die Gräfin wandte sich drohend zu ihrem
alten Freunde, der ihr jedoch lächelnd in's Auge
sah. „Lassen Sie mich nur," rief er, „ich bin
ja glücklich. In Ihrer Nähe, meine edle Freun=
din, erscheint alles Herbe gemildert, jede Düstern=
heit gelichtet. Könnte ich nur immerdar in Ih=
rer Gesellschaft seyn und an der Seite des jun=
gen Freundes dort, auf den unser deutsches Va=
terland wahrhafte stolz seyn darf. Möge denn
immerhin meine Thätigkeit auch geschlossen seyn."
Lessing reichte dem edlen Manne mit ehrerbieti=
ger Rührung die Hand. Die Gräfin brachte
andere Gegenstände der Unterhaltung auf. Das
Gespräch nahm wiederum eine heiterere Richtung.

Unsere Reisenden waren auf dem Schlosse angelangt. Der Dichter eilte seine Eltern wieder zu sehen. Er fand sie auf seine Zurückkunst schon vorbereitet und sie schlossen den blühenden, ihnen gleichsam wieder geschenkten Sohn mit größter Herzlichkeit in die Arme. In des Vaters Wesen war eine besondere Veränderung sichtbar, er zeigte sich dem Sohne mittheilender, seine väterliche sonst so strenge Miene hatte offenbar eine Beimischung von Achtung, von Anerkennung erhalten. Die sich immer gleich bleibende Mutter löste dem Erstaunten in wenigen Worten das Räthsel. „Ist es denn ein Wunder," sagte sie, „Du kehrst berühmt und ausgezeichnet zurück, man hört nah und fern von Dir sprechen, und es haben Dich Männer gelobt, auf deren Worte der Vater schweres Gewicht legt; ist es denn ein Wunder, mein Sohn, daß wir uns jetzt Deiner besonders freuen? Der Vater wird Dir dieses nie eingestehen, doch, da er sich nie verstellen kann, so hast Du es jetzt sogleich an seinem Wesen bemerkt."

„Da hättet Ihr, theure Mutter, damals immerhin erlauben sollen, daß ich meine Verse machte!"

„Lieber Sohn," rief die Alte, und schloß den Jüngling in ihre Arme, „die Mutterliebe ist ein bestochener Richter: thue was Du willst,

Du wirst mir's immerdar recht machen, ich könnte Dich nie verdammen. Wäre auch Alles anders und schlimm gekommen, ich hätte Dich doch nicht mit weniger Zärtlichkeit in die Arme geschlossen."

Gellerts erhebende Anerkennung des jungen Dichters machte dem alten Lessing die größte Freude. „Das Lob dieses Mannes," sagte er zu seiner Frau, „der ein Weiser, ein Dichter, was aber mehr als dieses, ein ächter Christ ist, giebt den erquicklichsten Himmelsthau, in welchem die junge Pflanze zur Freude Gottes und der Menschen emporblühen mag. Jetzt kann er seinen Weg freudig dahin wandeln.

Unser Ankömmling sollte nun auch das Glück genießen, von seinem Freunde Nachricht zu erhalten. Der Philosoph war von Berlin ausgewandert. „Ich habe," lautete eine leichtfertige Stelle im Briefe, „mit einem trefflichen Manne mich vergesellschaftet, einem Freidenker, der, seitdem er zum drittenmal von seiner kleinen Pfarre vertrieben worden, eine wahre Leidenschaft zu mir gefaßt und mir aus der Ferne ein Bündniß angeboten hat. Ich nahm es unbedingt an, und werde nun den Redlichen auf seiner dornenvollen Lebensbahn ein Stück Weges hin begleiten. Er entäußerte sich seiner Kinder, ich mich meiner Schulden, und wir ziehen

beide in irgend ein gelobtes Land, wo wir dann
Edles und Herrliches in Fülle leisten werden, so
weit uns der Schnabel gewachsen. Vergessen Sie
nicht, theurer Freund," hieß es am Schluß des
Schreibens, „die großen Entschlüsse, die wir gefaßt haben. Ich gehe, mich auf dem Grabe Sa-
binens zu begeistern; sie, das todte Mädchen,
soll meine künftige Liebschaft seyn. Es war ein
wunderbarer Kampf von Verwüstung und Hei-
ligkeit in der Seele der kleinen Miß Sara, die
Sie nie ganz zu würdigen verstanden haben."

Lessing faltete den Brief mit stummem
Schmerze zusammen. Er hatte den Freund
wahrhaft geliebt, es that ihm wehe, den Wilden,
Ungefügsamen immer weiter und weiter von
sich abirren zu sehen. „Sind denn," rief er bei
sich selbst, „Beharrlichkeit, Selbstüberwindung,
Ruhe und Geduld keine Tugenden mehr? Muß
denn ein edles Feuer, bestimmt die Welt zu
säubern, an dem Bau des eigenen Hauses zeh-
ren? Unglücklicher Freund, dein Irregehen zeigt
mir meinen Weg!" —

Es wurde, um die Wiederkehr des Sohnes
zu feiern, ein Familienfest angeordnet. Der Professor Gellert ließ sich überreden, noch einige
Tage zu bleiben, um Zeuge desselben zu seyn;
auch die reiche Wittwe Dorothea nebst ihrem
Bruder Christlieb, der jetzt viel von den Ver-

diensten und trefflichen Eigenschaften des jungen
Lessing sprach, durften gegenwärtig seyn. Un=
ser Dichter, so sehr er die Freude seiner Eltern
theilte, vermochte dennoch nicht mit ausschließen=
der Aufmerksamkeit ihren Bemühungen sich zu
widmen. Die Angelegenheiten auf dem Schlosse
zogen ihn mächtig in die Nähe der Geliebten.
Clarissa's Verlobung rückte heran. Sie hatte
sich entschlossen, dem Grafen Felix ihre Hand
zu reichen, und dieser glückliche Bewerber erschien,
um seine schöne Beute in Empfang zu nehmen.
Lessing durfte täglich jetzt seine bräutliche Freun=
din sehen. Eines Abends, in einer einsamen
Stunde, erwiderte sie auf seine Fragen: „und
weßhalb sollte ich diesem Wirkungskreis, der
sich mir darbietet, mich entziehen? O Theurer,
keine kranke Empfindelei ins Leben gebracht!
Die Zeit, der wir angehören, leidet dieses am
wenigsten. Ich könnte die Beleidigte spielen,
ich könnte ihm es merken lassen, daß er, ob=
wohl, wie ich weiß, aus guter Absicht, sich mei=
nen Planen entgegengesetzt, ich könnte mich darin
gefallen, einen Schleier rührender Entsagung um
mein Daseyn zu hüllen, um dann in Thränen
und ungerechten Klagen mich zu verzehren. Doch
nein! Es ist ein edler Mann, dem ich jetzt an=
gehören will, an seiner Seite werde ich auf
meine Weise wirksam auftreten können. Di

Ehe sehe ich als ein Mittel an, in der Welt eine feste Stellung zu erlangen. Nie würde ich einem uneblen Manne meinen Besitz zusagen, doch eben so wenig einem, zu dem mich eine frühere Jugendneigung hingezogen. Die bürgerlichen Verhältnisse und die Gefühle eines jungen schwärmenden Herzens sind zu schroffe Gegensätze, als daß sich jemals ein dauerndes Glück auf ihnen begründen ließe. Und so, geliebter Freund, lassen Sie uns unsere verschiedenen Bahnen antreten, einer von dem andern versichert, daß es dasselbe nie aus dem Auge lassen werde, auf die schönste Weise eines von des andern inniger Theilnahme überzeugt. Vergessen Sie nie die Clarissa, welche Ihnen als jugendliches begeistertes Mädchen den Kranz der Weihe aufdrückte; ich werde nie den Mann vergessen, vor dem ich mich in Ehrfurcht entfernt halten müßte, wenn nicht ein wärmeres Gefühl, als Ehrfurcht und Bewunderung, mich ihm wiederum näher brächte."

Ein holdes Erröthen überflog ihr Antlitz bei diesen Worten. Eine Pause herrschte, dann erhob sie sich, drückte einen Kuß auf die Stirne des Dichters, und war verschwunden. In die seligsten Träume versunken blieb der Glückliche zurück.

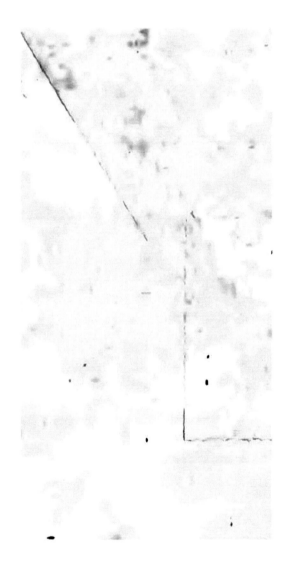